송강스님의

벽암록 맛보기

-1권-

(1칙~10칙)

벽암록 맛보기를 내면서

2021년 초에 불교신문사에서 새로운 연재를 부탁하기에 <벽암록 맛보기>라는 제목으로 벽암록(碧巖錄)의 본칙(本則)과 송(頌)을 중심으로 1회 1칙씩을 연재하기로 했습니다. 정해진 지면에 맞추다 보니 여러 가지 도움이 될 장치를 생략하게 되었으나, 공부하기에는 크게 부족함이 없었습니다.

불교신문 독자들 외에도 책으로 공부하기를 원하는 분들이 많아서 이제 10칙씩을 묶어 한 [illegible]의 <벽암록 맛보기>를 차례로 출판하기로 하였습니다. 불교신문 지면에 실린 내용에다 몇 가지 도움이 될 부분을 더하여 편집의 꼴을 갖출 것입니다.

벽암록 맛보기를 내면서

2021년 초에 불교신문사에서 새로운 연재를 부탁하기에 〈벽암록 맛보기〉라는 제목으로『벽암록(碧巖錄)』의 본칙(本則)과 송(頌)을 중심으로 1회 1칙씩을 연재하기로 했습니다. 정해진 지면에 맞추다 보니 여러 가지 도움이 될 장치를 생략하게 되었으나, 공부하기에는 크게 부족함이 없었습니다.

불교신문 독자들 가운데 책으로 공부하기를 원하는 분들이 많아서 이제 10칙씩을 묶어 한지제본의 〈벽암록 맛보기〉를 차례로 출판하기로 하였습니다. 불교신문 지면에 실린 내용에다 몇 가지 도움이 될 부분을 더하여 편집의 묘를 살린 것입니다.

참선공부는 큰 의심에서 시작되고, 『벽암록(碧巖錄)』의 선문답은 본체 또는 주인공에 대한 의심을 촉발하기 위한 것입니다. 그러므로 의심을 일으킬 수 있는 정도로 설명은 간략하게 하고 자세한 풀이는 생략했습니다. 너무 자세한 설명은 스스로 의심을 일으키기는 커녕 자칫 다 알았다는 착각에 빠지게 하기 때문입니다.

이 책이 많은 분들에게 큰 의심을 일으킬 수 있는 기회가 된다면 참 좋은 법연(法緣)으로 생각하겠습니다.

2022년 여름 개화산자락에서

시우 송강(時雨松江) 합장

차 례

"목숨 던져 의심해 들어가야만
참된 자성 볼 수 있다"

•

•

발 디딜 수도 없는 천 길 절벽에도 길을 내고 굴을 뚫어 왕래를 한다. – 중국 쿤밍(昆明)의 용문(龍門) 2300m 지점.

선(禪)과 친해지기

〈벽암록〉은 대표적인 선어록(禪語錄) 중 하나이다. 선어록과 만나기 위해서는 선(禪)에 대한 이해가 되어야 하고, 또 참선수행(參禪修行)하는 방법을 알아야 한다. 선어록은 지식을 전달하기 위한 것이 아닐 뿐만 아니라 직접 몸으로 부딪쳐 들어가지 않으면 아무 소용이 없기 때문이다. 벽암록 100칙(則)의 선문답 가운데 어느 하나라도 자신과 인연이 되는 것이 있다면, 거기에 목숨을 던져 의심해 들어가야만 참된 자성(自性)을 볼 수 있을 것이다.

선(禪)과 교(敎)

불교는 부처님의 마음과 행을 보여주는 가르침이며, 그 가르침을 통해 스스로도 부처가 되게 하려는 종교이다. 그러므로 불교에서는 단순히 학문적으로 접근하는 것을 기특하게 보지 않는다. 부처가 되는 것이 쉽지 않으므로 처음에는 부처님을 닮는 것으로 시작하되,

결국에는 부처가 되는 것만을 참답게 여긴다.

흔히 선(禪)은 부처님의 마음이요 교(敎)는 부처님의 말씀이라고 한다. 다시 말해 선은 곧바로 부처님의 마음과 만나려는 행위이고, 교는 부처님의 마음을 설명한 것이면서 동시에 그 마음을 찾아가는 방법을 설명한 것이다. 깨닫기 전에는 아무도 부처님의 마음을 알 수 없다. 그러므로 준비도 없이 아무렇게나 부처님의 마음을 만나겠다고 무조건 좌선(坐禪)만을 한다면 길을 잘못 들기 십상이기에 교(敎)를 겸해야 한다. 또 설명 듣는 것에만 만족하여 경론(經論)을 이론적으로만 연구하면서 부처님의 마음을 만나려 나서지 않으면 뜬구름만 붙들 고 있는 격이니 선(禪)을 겸하지 않으면 안 된다. 실제로 수행을 해보면 선(禪)과 교(敎) 둘은 떨어져 있는 것이 아님을 알게 된다.

선(禪)의 전래와 간화선(看話禪)의 확립

부처님은 세 번에 걸쳐 가섭존자에게 마음을 전하셨다고들 얘기한다. 물론 이것은 후학들에 의해 정리된 말이다. 그러나 어느 정도 근거를 가지고 얘기하는 것

이니만큼 무시할 성질도 아니다. 그렇다고 마음이라는 것이 어떤 물체처럼 전해주고 받을 수 있다는 망상을 일으키면 정말 엄청난 불행이 벌어진다.

선(禪)이 부처님으로부터 비롯된다는 것이야 말할 것도 없지만, 우리에게 익숙한 것은 달마조사(達摩祖師)로부터 비롯되는 중국선풍(中國禪風)이다. 인도의 수행법이 사유(思惟)의 성격이 강했다면 중국의 선풍(禪風)은 직관적(直觀的)인 성격이 강하다고 할 수 있다. 물론 중국 선사들 중에 사유의 성격이 강한 분들이 있긴 하지만 주류(主流)에서 빗겨나 있다고 볼 수 있다.

우리나라도 직관적인 선풍이 강한데, 비록 가장 뛰어난 방법이긴 하지만 단점을 꼽자면 접근하는데 어려움을 겪는 경우가 많다는 것이다. 그래서 요즘 일반인들이 사유의 성격이 강한 인도적수행법을 더 쉽게 생각하고 따르는 경향이 나타나는 것이다. 하지만 이 방법도 분별에 떨어져 버릴 수 있는 단점이 있다.

달마조사로부터 비롯되는 중국의 선가(禪家)는 점차 공안(公案=話頭)을 중시하게 되고 이윽고 그 공안을 참구하는 간화선풍(看話禪風)이 형성된다. 어떻게 보면 간화선풍은 화두(話頭)만 두고 사유(思惟)가 붙을 자리를 없애 버린 셈이다. 오로지 화두라는 의심뭉치(疑團)만을 두는 것이다. 닭이 달걀을 품듯이 그 화두를 품고 가는 것을 간화(看話)라고 표현한다. 그러니 더더욱 어렵다고 생각하는 이들이 많을 것이다. 흔히 이를 '은으로 된 산과 쇠로 만든 벽'이라는 뜻의 은산철벽(銀山鐵壁)으로 표현하기도 한다. 언어적인 설명으로도 그 어떤 생각으로도 도저히 통할 수 없어서 오도가도 못 하는 절박한 경계를 일컫는 말이다. 하지만 아무리 강한 벽일지라도 다 허물어지게 되어 있다. 다만 허물어질 때까지 부딪치지 않기에 그 벽을 부수지 못하는 것이다.

화두(話頭)의 뜻과 공부하기

화두란 무엇이며 어떻게 공부해야 할까? 화두(話頭)는 선종(禪宗)에서 고칙(古則) · 공안(公案)이라고도 한다. 공안은 공부안독(公府案牘)의 약칭으로, 옛날 국가에서 확정한 법률안으로서 국민이 준수해야 할 사안(事案)을 뜻하는 말이다. 선가(禪家)에서는 조사

(祖師)들의 말씀이나 문답 등 부처님 · 조사님과 인연된 핵심적인 글귀를 수록하여 고칙 또는 공안이라 하고, 선(禪)의 과제로 삼아 인연화두(因緣話頭)라고 했으며, 줄여서 화두라고 한 것이다.

즉 이 화두는 부처님이나 스승들이 제자 또는 후학들에게 무엇인가 근본적인 것을 깨우쳐 주기 위한 역설적 언어나 행위를 일컫는다. 그러므로 사전적인 해석을 따를 것이 아니라 감춰진 핵심을 의심하며 추구해가야 하는 것이다.

화두 공부에서 뭘 어떻게 해야 하는지 막막해하는 사람들이 많다. 여기 간단하게 단계를 설명해서 공부에 도움이 되도록 한다.

☞ 의정(疑情, 의심을 일으킴) – 첫째로 화두에 대해 의심하는 마음을 일으켜야 한다. 간절한 의심이 없이 그냥 화두를 암송하듯 하는 것은 아무 효과가 없다. 의심을 일으키는 첫 단계는 법문을 듣다가 혹은 어록이나 경을 보다가 단어나 문장의 뜻은 알겠으나 숨은 뜻은 도저히 모르겠다고 생각되는 것을 택하면 된다. "도대체 이게 무슨 뜻인가?" 혹은 "왜 그렇게 말씀하셨을

까?"로 시작하면 될 것이다. 정말로 참선 공부를 하고 싶다면, 그 의문을 여기저기 물어보지 말고 직접 뚫고 나가보라는 것이다.

☞ 의단(疑團, 의심 덩어리)- 공부를 계속하다보면 의심이 모였다가 흩어졌다가 한다. 그래도 꾸준히 밀어붙이면 점차 의심이 하나의 덩어리가 되어 흩어지지 않게 된다.

☞ 의단독로(疑團獨露-의단이 홀로 드러남) - 비록 의심이 하나의 덩어리가 되긴 했지만 이것이 계속되지 못하고 자꾸 끊어져 버리는 일이 생긴다. 그렇더라도 포기하지 않고 집중하노라면, 의단이 완전히 계속되는 단계에 이른다. 이때는 의심덩어리(疑團)만 남게 된다. 이 단계가 되면 자고 먹는 것도 거의 잊어버리는 몰입이 된다.

☞ 은산철벽(銀山鐵壁-콱 막힘) - 의심덩어리만 남은 상태가 지속되다가, 어느 순간 더 이상 언어나 생각이 미칠 수 없는, 오갈 수 없는 경계가 된다. 앞으로 가려 하나 문이 없고 물러나려고 하나 길이 사라져 버린 것이다.

☞ 화두타파(話頭打破-툭 터짐) - 은산철벽의 상태가 지속되다가 기연(奇緣-특별한 인연 또는 계기)을 만나면 은산철벽이 무너지고 모든 것이 환하게 드러나는 깨침의 경지에 이른다.

"100개의 본칙과 게송, 선어록의 정수
벽암록 세계로…"

죽비 1타에 몰록 의심이 타파될 수만 있다면
목숨을 걸고 정수리를 내밀어도 좋지 않겠는가.

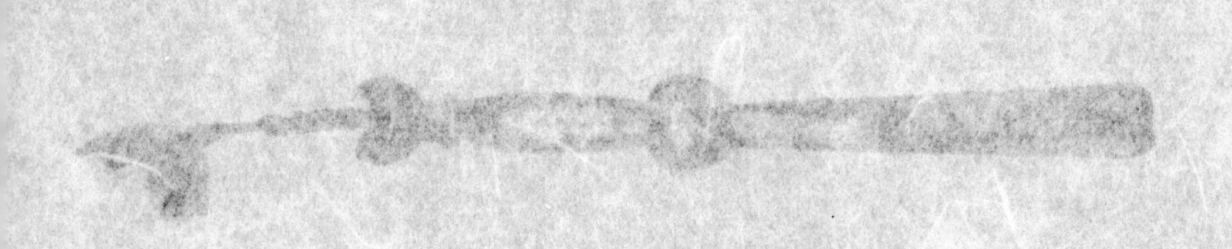

벽암록(碧巖錄) 소개

공부하는 사람이 〈벽암록(碧巖錄)〉을 처음 대하면 대개 고압 전기에 감전된 것과 같은 충격을 받는다. 그 충격은 사실 엄청난 행운과 만났음을 뜻한다. 제대로 충격을 받은 사람은 공부하지 않고는 배겨내질 못한다. 만약 그 길로 선(禪)과 담을 쌓게 되는 사람이 있다면 충격을 어설프게 받았기 때문이다.

간화선(看話禪)이라고 하면 참 어렵다고 생각하는 이들이 많은 것 같은데, 그것은 공부법을 몰라서 그럴 뿐이다. 그리고 대개는 의심하는 것 자체를 잘 모르고 있기 때문이기도 하다. '의심'을 다른 교학에서는 번뇌로 보는데, 그때의 의심은 끝없이 흔들리는 생각을 말하는 것이다. 간화선에서의 의심은 '본체(主人公)'에 대한 의심이다. 이 의심은 생각으로 헤아리는 것을 가리키는 것이 아니라 '마주 대함'을 뜻한다. 면벽(面壁, 벽을 마주함)이라고 할 때의 '벽'이 화두라면 '면(面, 마주함)'이 곧 간화선에서의 의심이다. 그러니 의심만 제대로 된다면 그 어떤 공부보다도 수월한 것이기도 하다. 왜냐하면 교학을 통한 공부는 나아갈수록 복잡해지는 경향이 있어서, 나중에는 이론에 갇혀 버릴 수도 있기 때문이다. 반면에 화두공부는 진행될수록 단순해진다.

그런데 옛 수행자들도 이 공부에서 어려움을 느낀 것은 마찬가지였다. 그래서 역대 고승들은 후학들을 위한 지침서를 만들려고 무진 노력을 했던 것이다. 바로 엄청난 분량의 선어록이 그것을 증명하고 있다. 그 수많은 선어록 가운데 정수라고 할 수 있는 것이 벽암록이며, 우리는 이 벽암록을 통해서 이제 선(禪)의 세계로 들어갈 것이다.

벽암록이 만들어진 내력

설두중현선사의 송고백칙(頌古百則)

벽암록은 설두 중현선사에게서 비롯된다. 설두 중현(雪竇重顯)선사는 지문선사의 법을 이어받아 소주(蘇州) 취봉사(翠峰寺)와 항주(杭州) 영은사(靈隱寺)에서

머물다가, 만년의 31년간은 명주(明州) 설두산(雪竇山) 자성사(資聖寺)에 주석하였다. 스님의 법호는 바로 이 설두산에서 비롯된 것이다.

선사는 처음 〈경덕전등록〉의 1700고칙(古則) 가운데서 가장 중요하다고 생각한 100가지를 가려내고, 여기에 송고(頌古)를 더했다. 이를 〈설두송고(雪竇頌古)〉라고 하며, 뒷날 벽암록의 모체가 되었다.

원오 극근선사의 수시 · 평창 · 착어

송대(宋代)의 원오 극근(圜悟克勤)선사는 설두 중현선사의 송고백칙에 다시 수시(垂示) · 착어(着語) · 평창(評唱)을 붙여서 후학들을 가르쳤는데, 그 장소에 대해서도 여러 설명이 있다. 종합해 보면, 성도(成都)의 소각사(昭覺寺), 호남의 협산사(夾山寺)와 도림사(道林寺) 등에서 지도한 것 같다. 보조국사의 후서(後序)에는 협산의 영천원(寧泉院)에 머물면서 수시 · 평창 · 착어를 붙였다고 하였다.

원오선사의 지도를 받은 문인들이 뒷날 그 강의록을 모아 벽암록이라고 이름 붙였는데, '벽암(碧巖)'은 협산의 영천원 방장실(方丈室) 편액이었다. 이 편액을 법문집의 제목으로 쓴 것은, 원오선사가 이 방장실에 머물면서 가르침을 편 것을 상징한다고 볼 수 있다.

협산의 영천원은 선자 덕성선사(船子德誠禪師)의 법을 이은 협산 선회선사(夾山善會禪師)가 창건하여 초대 방장으로 주석했던 곳이다. 선사는 당나라 말기의 혼탁한 사회상을 싫어하여 깊은 산속으로 들어가 농사와 참선수행을 겸한 것으로 유명하다. 영천원에 머물던 어느 날 한 스님이 찾아와 문답을 하게 되었다.

"무엇이 협산의 경치입니까?
(어떤 것이 스님의 경지입니까?)"

"〈원포자귀청장리(猿抱子歸靑嶂裏)〉
원숭이는 새끼를 품은 채 푸른 산봉우리로 돌아가고,
〈조함화락벽암전(鳥啣花落碧巖前)〉
새는 꽃을 물어다 이끼 낀 푸른 바위 앞에 떨어뜨린다."

'벽암(碧巖)'은 바로 이 문답에서 유래한 것이라고 한다.

원오 극근선사는 어려서 출가하여 뒷날 오조 법연(五祖法演)선사의 법을 이었다. 불과(佛果)라는 법호는 생전에 북송의 휘종황제로부터 받았고, 원오(圜悟)라는 법호는 입적 후 남송의 고종황제로부터 받은 것이다. 문하에는 항상 1000여 명의 수행자가 있었으며, 그 중 대혜 종고(大慧宗杲)스님과 호구 소륭(虎丘紹隆)스님이 유명하다.

벽암록의 전승

원오선사가 입적한 후에 그 문인들이나 후학들이 이 벽암록을 그대로 암송하여 마치 자기의 경지인 것처럼 흉내를 내는 등, 벽암록을 악용하여 궤변을 일삼는 일이 벌어졌다. 이를 안타깝게 생각한 원오선사의 수제자격인 대혜 종고선사가 근본종지에 위배된다고 하여 벽암록을 불살라버렸다. 그로부터 200여 년이 지나 원(元)의 장명원(張明遠) 거사가 여러 곳에 비밀리 전해오던 것들을 모아 참작하여 다시 '종문제일서 원오벽암집(宗門第一書 圜悟碧巖集)'으로 간행하였다.

벽암록의 구성

벽암록은 총 10권으로 된 선어록(禪語錄)이다. 부처님께서 말씀하신 내용을 기록한 것이 경(經)이고(육조단경 등의 예외도 있음), 훌륭한 스님들 말씀을 기록한 것이 어록(語錄)이다. 이 어록 중에서 특히 참선 수행에 지침이 되는 선사들의 가르침을 모은 것이 선어록(禪語錄)인데, 벽암록은 선어록 중에서 간화선풍(看話禪風)을 가장 잘 드러낸 것이라고 할 수 있다.

벽암록은 다음과 같이 구성되어 있다.

☞ 고칙제목(古則題目) – 벽암록은 여러 판본으로 전하는데, 세밀하게 분석하면 약간의 차이점이 있다. 그러나 그것은 본질적인 문제가 아니므로 종합적으로 받아들이면 좋을 것이다. 그 대표적인 것이 각 칙(則)의 이름인데, 본래 제목이 없던 것을 편의상 본칙에서 뽑은 것이니만큼 어떤 이름이라도 상관이 없는 것이다. 예컨대 제1칙의 이름이 판본에 따라 '달마확연무성(達摩廓然無聖)', '달마불식(達摩不識)', '무제문달마(武帝問達摩)' 등으로 전하는데, 그 내용은 동일한 것이다.

☞ 수시(垂示) – 본칙(本則)에 들어가기 전에 행한 일종의 문제제기이면서 인도하는 말이라고 할 수 있다. 보통 큰 스님들이 법문을 하실 때, 그날 법문의 방향을 잡아가는 내용으로도 볼 수 있다. '수시운(垂示云)'으로 시작한다. 원오선사의 기질을 엿볼 수 있는 곳이다.

☞ 본칙(本則) – 공안 백칙은 벽암록의 핵심이다. 깨달음의 경지를 바로 보여주는 곳이다. 설두 중현선사가 탁월한 안목으로『경덕전등록(景德傳燈錄)』의 방대한 분량 중에서 가려 뽑은 백 가지가 소개된다.

☞ 평창(評唱) – 본칙(本則)과 송(頌)에 대한 원오선사의 자세한 설명이다. 원오선사의 해박함이 잘 드러난 곳이다.

☞ 송(頌) – 설두 중현선사가 본칙에 대한 자신의 지견을 바로 보인 곳이다.

☞ 착어(着語) – 원오 극근선사가 벽암록 공부하는 사람들로 하여금 경각심을 갖게 하기 위해 한두 마디 말을 붙인 것이다. 원오선사의 날카로움이 보이는 곳이다.

벽암록 맛보기의 방향

'벽암록 맛보기'에서는 설두 중현(雪竇重顯)선사가 뽑은 100개의 '본칙'과 선사가 직접 지은 '게송(頌)'만을 다룬다.

선어록은 지식 전달을 위한 책이 아니다. 읽는 사람이 직접 동참해야 하며, 직접 맛보지 않으면 소용이 없다는 뜻에서 '맛보기'라고 하였다. 해설도 너무 자세히 들어가는 것을 지양(止揚)하고, 독자가 스스로 의심할 부분을 남겨둠으로 해서 화두참구의 기회를 만들고자 한다.

제1칙

달마 확연무성
(達摩廓然無聖)

달마스님의
'넓고 텅 비어 성스러울 것 없음'

"이곳에 조사가 있느냐?"
"불러오라! 내 발이나 씻기게"

달마대사의 할(喝)과 방(棒)을 능히 받아낼 수 있다면
수처작주(隨處作主) 하리라.
한산당 화엄선사의 달마도 수처작주(隨處作主).

본칙(本則)

擧 梁武帝 問達磨大師호대 如何是聖
거 양무제 문달마대사 여하시성

諦第一義닛고 磨云 廓然無聖이니다 帝曰
제제일의 마운 확연무성 제왈

對朕者誰오 磨云 不識이라하니 帝不契어늘
대짐자수 마운 불식 제불계

達磨遂渡江至魏하다 帝 後擧問志公하니
달마수도강지위 제 후거문지공

志公云 陛下還識此人否닛가 帝云 不識
지공운 폐하환식차인부 제운 불식

이로다 志公云 此是觀音大士니 傳佛心
지공운 차시관음대사 전불심

印이니다 帝悔하야 遂遣使去請이러니 志公
인 제회 수견사거청 지공

云 莫道陛下發使去取하소서 闔國人去라
운 막도폐하발사거취 합국인거

도 佗亦不回니다
타역불회

• 거(擧)

옛 일화나 다른 스님의 일화를 가져올 때 쓰는 말이다. "이런 얘기가 있지." "이 얘기 한번 들어 보게나." 정도로 풀이할 수 있겠다.

• 양무제(梁武帝)

소연(蕭衍, 464년~549년)은, 중국 남조 양의 초대 황제(재위 : 502년–549년). 묘호는 고조(高祖), 시호는 무제(武帝). 남조 최고의 명군으로 칭송받은 양(梁) 무제(武帝)다. 치세 48년 동안 내정을 정비하여 구품관인법을 개선하고, 불교를 장려하여 국내를 다스리고 문화를 번영시켰다. 대외관계도 비교적 평온하여 약 50년간 태평성대를 유지하여 남조 최 전성기를 보냈다.

양무제는 네 번(혹은 세 번)이나 동태사(同太寺)에 출가를 하려고 하였는데, 그때마다 승복을 입고 절에서 수행 생활을 하였기에 '황제보살(皇帝菩薩)' 또는 '불심천자(佛心天子)'로 불렸다. 동태사는 양무제가 서기 527년에 건립한 사찰로 지금의 남경(南京) 계명사(鷄鳴寺)다. 양무제는 거의 매일 이 절에 가서 나라의 앞날을 위해 예불을 드렸고, 가장 오래 출가생활을 한 것은 37일 이었다고 한다. 결국은 출가를 하지 않았던 것은, 출가라는 형태를 취하여 불교를 크게 일으키고자하는 목적이 아니었나 생각된다.

청대에 정리한 『사고전서(四庫全書)』를 보면 베트남(중국식표기는 남월 南越)에서 침향(沈香)을 수입하여, 외교를 맺고 있는 모든 나라에 선물을 했다고 기록되어 있다.

• **달마대사(達磨大師)**

근래에는 주로 達摩라고 한자 표기를 하지만, 예전의 기록에는 모두 達磨로 되어 있다. 보디 다르마(Bodhi-Dharma)를 소리대로 보리달마(菩提達磨)로 옮겼고, 줄여서 달마대사라 한다.

인도 향지국왕(香至國王)의 셋째왕자로 출가하여 반야다라(般若多羅)존자의 법통을 이은 뒤, 벵골만에서 배로 떠나 3년여 항해 끝에 광동(廣東)에 도착했다.[육로로 이동했다는 설도 있음.] 당시 남쪽을 지배하던 양나라 수도인 금릉(金陵-현재 남경南京)으로 가서 양무제를 만났다. 그때 이미 130세였다고 전한다. 본칙은 바로 그때의 이야기다.

• **성제제일의(聖諦第一義)**

제(諦)란 불교에서 진리를 표현하는 용어이며, 보통 '체'로 많이 읽지만 이치 또는 진리라고 할 때는 '제'로 발음한다. 진리를 두 가지 측면으로 나누어 속제(俗諦)와 진제(眞諦)라고 하는데, 성제(聖諦)란 진제를 뜻한다.

속제(俗諦)는 세제(世諦)라고도 하는데, 세속적 입장에서의 진리를 뜻한다. 즉 봄이 되면 꽃이 피고 겨울이 되면 얼음이 얼고 눈이 오는 등의 현상적 측면에서 본 이치 또는 진리를 일컫는다. 세상에서 통용되는 가르침 같은 것을 총칭한다고 보면 된다. 차별적 현상이기 때문에 그것만을 추구하면 대체로 희로애락에 휩쓸리게 되고 그 결과로 괴로워하게 될 가능성이 짙다.

진제(眞諦)는 깨달음의 이치이다. 그러므로 일반사람들로서는 알기 어려운 이치이다. 예컨대 사계절이 비록 다른 차별적 현

상을 보이지만, 그 사계절을 관통하는 연기법의 이치가 있다. 바로 이런 눈에 보이지 않는 불변의 이치를 두고 '참 진리'라는 뜻으로 진제라 한다. 깨달음에 의해 증득되는 진리의 차원이다.

성제제일의(聖諦第一義)에서 '제일의'는 최고의 도리, 궁극의 진리, 최고의 법이라 풀이할 수 있으며 진제(眞諦)와 같은 뜻으로 볼 수 있다. 그러므로 성제제일의는 중복되는 느낌이 있다. 여기서는 "무엇이 불교 최고의 성스러운 진리입니까?"로 해석하면 좋겠다.

- **확연무성(廓然無聖)**

  넓고 텅 비어(廓然) 성스러울 것이 없음(無聖)

- **대짐자수(對朕者誰)**

  "나(황제)를 대하고 있는 그대는 누구요?"라는 뜻으로 그냥 질문을 한 듯이 보이지만, 달마대사에 대한 예비정보는 이미 알고 있는 상태라고 보면 된다. 그러므로 인적사항 등을 물은 것이 아니다. 불교에서 "그대는 누구인가?"라고 할 때는 본질적인 것에 대한 질문으로 보면 된다.

- **불식(不識)**

  "모르오!" 이 대답을 제목으로 뽑기도 한다. 달마대사는 분명한 답을 하고 있다.

- **제불계(帝不契)**

  황제가 딱 들어맞질 않았다. 즉 무슨 뜻인지를 깨닫지 못했다.

- **달마수도강지위(達磨遂渡江至魏)**

  당시 남쪽은 양(梁)나라였고 북쪽은 위(魏)나라였다. 양무제와 만난 뒤 인연이 아니라고 생각한 달마대사는 갈대 하나를 꺾어 양자강에 띄워서 그것을 타고 위나라로 갔다고 한다. 그것이 달마도에서 자주 볼 수 있는 '갈대 하나로 강을 건넘(일위도강一葦渡江)'의 선화(禪畵)이다. 위나라에 이른 달마대사는 낙양의 숭산(崇山) 소림사(少林寺)로 들어가 숭산의 자연동굴에서 9년을 면벽(面壁)하였고, 이윽고 신광스님(神光-뒤의 慧可大師)을 만나게 된다.

- **지공(志公)**

다른 곳에서는 誌公스님으로 되어있다. 원래 금릉보지(金陵寶誌 : 418-514)화상이시다. 어려서 출가하여 강소성(江蘇城) 건강(建康) 도림사(道林寺)에서 선정(禪定)을 닦았다. 양나라 무제의 스승이다. 『대승찬(大乘讚)』을 지어 양무제에게 바쳤으며, 달마대사와 양무제 사이에서 인연을 맺게 하려고 애썼다. 입적 후 내려진 시호(諡號)로 광제대사(廣濟大師), 묘각대사(妙覺大師), 도림진각(道林眞覺), 자응혜감(慈應慧感), 보제성사(普濟聖師), 일제진밀(一際眞密) 등이 있다.

어느 날 양무제는 지공화상을 청하여 희극을 보게 되었다. 극이 끝나자, 양무제는 지공화상에게 "오늘 희극이 재미가 있으셨습니까?"라고 묻자, 스님은 "모르겠습니다."라고 답하였다. 양무제는 스님으로부터 모르겠다는 답을 듣자 마음이 매우 답답하였다. 스님이 희극을 잘 보았는데도 왜 모른다고 할까를 생각하다가 이윽고 스님께 그 까닭을 물었다.

지공화상은 양무제에게 말하기를, 만약 폐하께서 내일 괜찮으

시다면, 오늘의 희극을 다시 한 번 연출케 하고, 동시에 폐하께서 형부상서에게 명령을 내려 이미 죽을죄를 지어 목을 베기로 한 죄수를 한 사람 골라 그 죄수에게 물을 담은 세숫대야를 들게 한 다음, 희극이 진행되는 무대 앞에 무릎을 꿇고 앉아 있게 하십시오. 그리고 죄수에게 이르길 극이 다 끝날 때까지 대야의 물을 한 방울도 흘리지 않으면 즉시 죄를 면해 주겠노라고 말씀하시고, 만약 희극이 끝나기도 전에 대야의 물을 흘리면 극이 끝나는 즉시 목을 치겠노라고 하십시오."

양무제는 청하던 대로 하였다. 그 다음날 양무제와 스님은 다시 희극을 보았다. 물론 선택된 죄수는 무대 앞에 무릎을 꿇은 채 물을 담은 대야를 두 손에 들고 있었다. 극이 끝났을 때 죄수는 들고 있던 대야의 물을 조금도 흘리지 않은 상태였다. 지공화상은 이에 양무제가 죄수에게 가서 몇 가지 묻기를 청하였다. 양무제는 지공화상의 청대로 죄수에게 가서 "오늘의 희극과 노래가 재미있었느냐?"라고 묻자 죄수가 답하기를 "모르겠습니다."라고 하였다. 양무제가 다시 물었다. "너는 무대 앞에서 희극도 보고 노래도 들었거늘 어찌 모른다고 하느냐?" 죄수가 답했다. "폐하! 저는 오로지 대야의 물이 떨어지지 않도록 신경을 썼습니다. 어찌 여유가 있어 희극을 보고 노래를 듣겠습니까?"라고 하였다. 이 때 양무제는 홀연히 크게 깨달았다. 바로 마음에 뜻을 두고 있지 않으니 보아도 보이지 않고, 들어도 들리지 않는 도리를 깨달은 것이다.

- **환식차인부(還識此人否)**

“이제는 달마대사가 어떤 분인지를 알겠습니까?” 하고 물어 본 것.

- **전불심인(傳佛心印)**

부처님의 마음을 전해 받았다는 뜻. 도장을 찍으면 똑같이 복제가 되듯이 부처님이 깨달으신 그대로의 마음이 된 것을 뜻함.

- **관음대사(觀音大士)**

대사(大士)라는 말은 중국에서 보드히삿뜨와(Bodhisattva, 보리살타菩提薩陀)를 뜻으로 옮긴 말임. 그러므로 ‘관세음보살’이라는 뜻.

- **합국인거(闔國人去)**

합국(闔國)은 전국(全國)과 같은 뜻이니, ‘온 나라 사람들이 가더라도’로 번역됨.

- **타역불회(佗亦不回)**

타(佗)는 타(他)와 같은 뜻이며, 여기서는 달마대사를 가리킴. 달마대사가 마음을 돌이키지 않을 것이라는 뜻.

이런 얘기가 있다. 양나라 무제가 달마대사께 물었다. "어떤 것이 불교에서 가장 거룩한 진리입니까?" 달마대사가 답하였다. "넓고 텅 비어 성스러운 것이 없습니다." 황제가 물었다. "나를 대하고 있는 그대는 누구요?" 달마대사가 답하였다. "알지 못합니다." 황제가 그 뜻을 깨닫지 못하자, 달마대사가 드디어 양자강을 건너 위나라로 가 버렸다.

황제가 나중에 이 일을 지공화상에게 물으니, 지공화상이 이르되 "폐하께서는 달마대사가 어떤 분인지를 이제 아시겠습니까?"하니, 황제가 "모르겠습니다"고 하였다. 지공화상이 "그분은 관세음보살의 화현으로서 부처님의 마음을 전해 받은 분입니다"고 하였다.

황제가 후회하면서 드디어 사신을 파견하여 다시 청하려 하였다. 지공화상이 "폐하께서는 사신을 보내어 모셔 오려고 하지 마십시오. 양나라의 모든 백성이 갈지라도 그분은 돌아오지 않을 것입니다"고 하였다.

강설(講說)

여기 등장하는 양무제와 달마대사, 그리고 지공화상에 대한 일반적인 얘기는 참 많다. 예컨대 지공화상과 달마대사의 연대가 서로 어긋나서 만났을 리가 없다는 설도 있는데, 옛 기록의 연대는 정확하다고 보기 어렵다. 달마대사 또한 일반 상식으로는 짐작하기 어려운 기이한 행적을 보이신 것으로 기록이 전한다. 여기서 그런 것을 따지면 이미 본칙의 핵심에서 어긋나 버린다. 선어록을 공부할 때는 '역사적 사실여부'를 따지지 말 것!

다른 기록에 의하면 본칙의 내용에 앞서 양무제와 달마대사 사이에 다른 대화가 있었다. 벽암록이나 여타의 선어록에서 언급하는 대화들은, 법문을 하는 스님들이 당신이 필요한 부분만을 인용하기 때문에 앞뒤가 생략된 것이 대부분이다. 한나절을 같이 있으면서 대화를 했을지라도 꼭 필요한 한두 마디만 인용할 수 있다. 그러니 학문적이며 논리적으로 접근하는 이들에게는 참 막막하게 느껴질 것이다.

무제 "내가 오래 불사한 공덕이 얼마나 되겠습니까?"
달마 "공덕이랄 게 없습니다."

달마대사를 만난 양무제는 자신이 불교를 중흥시킨 그 공덕을 칭찬받고 싶었을 것이다. 그래서 본칙에는 생략되었지만 위의 대화가 있다. 하지만 양무제의 질문은 불교의 핵심에서는 한참을 벗어난 것이었다. 그렇지만 이것이 불교신자들이 대부분 빠져 있는 심리이기도 한 것이다. 달마대사의 답은 양무제의 병적 심리를 타파해 주려는 자비이다.

무제는 영리한 사람이었다. 영리한 사람이었기에 본칙이 만들어진 것이다. 하지만 영리한 그것이 오히려 병이었다. 달마대사의 자비로 깨어나기에는 너무 많이 알고 있었나 보다.

무제 "어떤 것이 불교에서 가장 거룩한 진리입니까?"
달마 "넓고 텅 비어 성스러운 것이 없습니다."

양무제는 공덕을 물었다가 '공덕이랄 것이 없다'는 달마대사의 답을 듣는 순간 사정없이 당했다는 것을 직감했을 것이다. 그래서 회심의 일격을 가했다. 불교의

본령 쪽으로 옮겨간 것이다. '가장 거룩한 진리(聖諦第一義)'라는 용어는 불교에 아주 깊이 들어간 이가 아니면 구사하지 않는 말이다. 그러니 아마도 이 질문으로 달마대사를 항복받으려 했으리라. 아니면 적어도 인정받으려 했거나.

하지만 상대는 천하의 달마대사였다. 그런 용어에 갇혀 있는 인물이 아니었던 것이다. "확연무성(廓然無聖)." 아직도 성스러운 것 따지느냐고 훅 불어버렸다. 두 번째로 베푼 자비다. 그렇기는 하지만, 자비를 베풀다 보면 또 흔적이 남게 마련이다. 사람들이 그 흔적으로 말미암아 스스로 달마대사의 발바닥 밑으로 들어가니 그게 문제다.

무제 "나를 대하고 있는 그대는 누구십니까?"
달마 "모르겠습니다."

이제 양무제는 자기 딴에 비장의 무기를 들이대었다. 하지만 늦어도 보통 늦은 일이 아니다. 공덕을 물은 첫 번째의 질문이야 황제의 입장을 고려하여 백보 양보하면 애교로 봐 줄 수가 있겠다. 그런데 눈을 뜨지 못하고 괜한 호기를 부려 두 번째 질문을 했다. 백이면 백이 다 저지르는 실수다. 하긴 맥 놓고 있는 것 보다는 낫다. 하지만 세 번째의 질문은 뭔가? 참 어이없는 일을 벌였다. 자신이야 밖(그대)이니 안(나)이니 생각하며 던진 질문이지만, 달마대사는 처음부터 경계가 없질 않는가.

"당신 누구요?" 이게 첫 질문이라면 모를까, 이곳에서의 세 번째 질문이라면 썩은 냄새만 풀풀 나는 쓰레기 아닌가. 그러니 달마대사가 양무제를 산 채로 묻어버렸다. "모르오!" 참 이런 자비도 드물다. 세 번째 베푼 자비이다.

시절인연이라는 말이 있다. 적절한 때와 장소가 있다는 말이다. 달마대사는 이미 중국에서의 불교가 어떤지를 간파했으며, 양나라에 더 머물 이유가 없었다. 양나라에서 할 일은 이미 마친 것이다. 그런데 후반부에 나오는 양무제와 지공화상과의 대화는 설두화상의 노파심이다. 불법의 정수를 보여주고 싶은 마음이야 오죽하시겠는가마는 이 대목은 뱀의 다리를 그린 듯하다.

송(頌)

聖諦廓然이여 何當辨的고
성 제 확 연　하 당 변 적

對朕者誰오 還云不識이로다
대 짐 자 수　환 운 불 식

因茲暗渡江하니 豈免生荊棘가
인 자 암 도 강　기 면 생 형 극

闔國人追不再來여 千古萬古空相憶이로다
합 국 인 추 부 재 래　천 고 만 고 공 상 억

休相憶하라 淸風匝地有何極이리오
휴 상 억　청 풍 잡 지 유 하 극

師顧視左右云 這裏還有祖師麽아
사 고 시 좌 우 운 저 리 환 유 조 사 마

自云 有로다 喚來與老僧洗脚하리라
자 운 유　환 래 여 노 승 세 각

성스러운 진리는 넓고 텅 비었음이라!
어찌 정확하게 핵심을 밝히겠는가.
나를 대하는 그대는 누구요?
도리어 모른다고 이르는구나.
이로 인해 남몰래 강을 건너니
어찌 가시덤불 돋는 것 면하리오.
온 백성 따라도 다시 오지 않으리니
천만년에 부질없이 후회를 하는구나.
후회하는 일일랑 그만 두게나.
맑은 바람 온 누리에 다함없나니.
설두스님이 좌우를 둘러보며 이르길
"이곳에 다시 조사가 있느냐?"
설두스님이 스스로 답하였다. "있구나."
"불러오라! 내 발이나 씻기게."

강설(講說)

달마대사의 '넓고 텅 비었다'는 그 도리를 누구라 딱 맞힐꼬? 아예 과녁을 없애버렸으니. 만고에 그런 사람 없고말고.

양무제가 "그대는 누구요?"라 묻는 것이 참으로 측은하다. 달마대사께서 아직도 큰 자비심으로 짐짓 '모르오!' 라고 가르쳐주시는구나. 그래본들 짐작이나 할까?

인연이 아니니 어찌 머무르랴. 이 영감님 아무도 몰래 혼자 건너시는가? 그래도 들키지. 눈 밝은 놈이 있게 마련이거든. 이미 천지에 가시가 꽉 찼으니, 돋는다는 말도 부질없는 말일 뿐이다. 피한다는 것은 또 무슨 뚱딴지같은 얘기인가.

돌아올 것이라면 애당초 가지 않았으리라. 가기는 한 것인가? 간 일이 없다면 온다는 일이 있겠는가. 본디 영리한 사람들이 뒤늦게 후회를 일삼는 게지.

무엇 때문에 후회를 하나? 달마대사가 하실 일은 이미 다 끝낸 것인데. 뭐 하실 일이나 있었나? 그러니 건너가셨다고 한숨 쉴 것도 없다마다. 스스로 건너든지.

"이곳에 다시 조사가 있느냐?"

이 영감님이 다시 노파심이 발동하였구나. 간절하고 간절한 그 자비심을 누가 말려. '이곳'은 어디이며, '조사'는 무엇인고? 아차하면 속고 만다.

"있구나. 불러오라! 내 발이나 씻기게."

이제는 아예 스스로 흙탕물을 뒤집어쓰면서까지 철부지들을 위하려 단단히 작심하셨군. 그러나 어쩌랴. 팰 놈은 아주 모질게 패야 하나니. "있구나!" 꼭 걸려드는 놈이 있게 마련이지. 그런 허접스런 물건을 어디에 쓸 것인가? 발을 씻겨? 발 더럽힐 일 있나?

제2칙

조주 지도무난
(趙州至道無難)

조주스님의
'도에 이르는 것은 어려울 것 없다.'

"하나에는 여러 가지 있으나
둘에는 두 가지가 없도다"

뉴질랜드 카와라우 번지대.
번지점프를 직접 해 보지 않은 사람에겐
아무리 설명해도 그저 짐작만 할 뿐이다.
그러니 뛰어내려 봐야만 한다.

강설(講說)

'지도(至道)'라는 용어는 사전에도 '지극한 도'로 설명되어 있다. 그리고 지도무난(至道無難)은 모두가 '지극한 도는 어렵지 않다'로 번역했다. 그런데 원래 이 용어를 구사한 승찬대사(僧璨大師)의 〈신심명(信心銘)〉은 네 글자로 문장을 만들었기에 생략된 글자가 많다고 봐야 한다.

'도(道)'는 깨닫기 전의 사람에겐 단지 추상적인 말일 뿐이다. 중국의 노장사상(老莊思想)에서는 '만물을 만들어 내는 모체(母體)로서의 실재(實在)이며 만물을 존재케 하는 법칙'이라는 뜻으로 도(道)라는 말을 사용했다. 불교를 중국에 소개하고 경전을 번역한 스님들은 바로 이 노장사상에서의 '도(道)'라는 용어를 불교 내에 흡수했다. 그 후 선불교(禪佛敎)가 크게 일어나면서 깨달음에 대한 모든 것은 도(道)라는 말로 통하게 된 것이다. 이처럼 '도(道)'라는 말 자체가 이미 어떤 꾸밈을 배제한 특수한 성격이라고 볼 수 있다.

그런데 승찬대사께서 과연 '도'라는 추상적 언어를 '지극한 도'라고 하여 더 추상적으로 말씀하실 필요가 있

었을까? 그건 선사들의 언어가 아니다. '일체의 설명이 끊어진 이치'로서의 '지극한 도'였다면 '어려움이 없다(無難)'는 설명이야말로 형편없는 군더더기가 되고 만다. 만약 '지극한 도'라는 뜻으로 사용했다면 '또 다른 쉬운 도'가 있다는 말이 된다. 과연 이렇게 도(道)를 이리저리 쪼개 버렸을까?

그러므로 '지도무난(至道無難)'에서의 '무난(無難)'을 어떤 행위에 대한 설명으로 봐야 하며, '지도무난(至道無難)'을 '도에 이르는 것은 어려울 것이 없다' 즉 '깨닫는 것은 어렵지 않다'로 풀어야 한다. 그래야만 뒤의 '가려 선택하다'는 뜻인 간택(揀擇) 등의 행위와 연결되는 것이다.

본칙(本則)

擧 趙州示衆云 至道無難하니 唯嫌揀擇
거 조주시중운 지도무난 유혐간택

이니라 纔有語言이면 是揀擇이요 是明白이어
재유어언 시간택 시명백

니와 老僧不在明白裏로다 是汝還護惜也
노승부재명백리 시여환호석야

無아 時有僧問호대 旣不在明白裏인댄 護
무 시유승문 기부재명백리 호

惜箇什麽닛고 州云 我亦不知로다 僧云
석개십마 주운 아역부지 승운

和尙旣不知인댄 爲什麽하야 却道不在明
화상기부지 위십마 각도부재명

白裏닛고 州云 問事卽得이면 禮拜了退하
백리 주운 문사즉득 예배요퇴

라

- **시중(示衆)**

  스승이 제자들에게 가르침을 내리는 것. 수시(垂示)나 교시(教示)와 같은 뜻.

- **유혐간택(唯嫌揀擇)**

  '오직 가려서 택함을 싫어한다.'는 것이니, 가려 택하는 것이 문제이므로 그것만 하지 않으면 된다는 뜻임.

- **재유어언(纔有語言)**

  '잠간이라도 말이 있다면'이니 '조금이라도 말로 그것을 설명하려고 한다면'의 뜻이 된다.

- **간택(揀擇)**

  상대적 견해로 취사선택하는 것.

- **명백(明白)**

  『신심명(信心銘)』에서는 위 구절 뒤에 바로 '다만 미워하고 사랑하지 않는다면[단막증애(但莫憎愛)] 막힘없이 탁 트여 뚜렷하고 환할 것이다[통연명백(洞然明白)]'는 문장이 나온다.

- **부재명백리(不在明白裏)**

  뚜렷하고 환하다는 거기에도 있지 않다.

- **호석야무(護惜也無)**

  '소중하게 여기겠느냐?'의 뜻. '야무(也無)'는 강하게 묻고 있는 것을 뜻한다.

- **유승(有僧)**

  '어떤 스님'이라는 뜻.

- **문사즉득(問事卽得)**

  '묻는 것은 그만하면 되었다'는 뜻.

- **예배요퇴(禮拜了退)**

  '절하고 물러가라'는 뜻.

이런 얘기가 있다.

조주스님께서 대중을 상대로 제시를 하셨다. "(승찬대사께서 이르셨다) '도에 이르는 것은 어려울 것이 없다. 가려 택하는 것을 꺼릴 뿐이다.' (여기에) 한마디라도 말을 하게 되면 간택이 되고 명백이 된다. (그런데) 나는 명백한 경지에도 있지 않다. 이것을 그대들은 돌이켜 소중하게 여기겠는가?"

강설(講說)

조주스님께서 '도(道)'에 대한 말씀을 하시려고 당신이 좋아하는 승찬대사의 〈신심명(信心銘)〉 첫 구절을 끌어 오셨다. 그런데 현장에서는 그 다음 구절까지를 인용한 듯 보인다. 아니면 그 자리의 모든 대중이 그 다음 구절을 알고 있는 상태라고 봐야 한다. '가려서 선택한다는 뜻'의 '간택(揀擇)'이라는 말과 대비시킨 '뚜렷하고 환한 경지'라는 뜻의 '명백(明白)' 이라는 단어 때문이다.

〈신심명(信心銘)〉을 조금 더 들여다보면 이렇다.

'도에 이르는 것은(至道) 어려울 것이 없다(無難). 오직 자기 뜻대로 가려서 선택하는 것이 문제가 될 뿐이다(唯嫌揀擇). 다만 미워하고 사랑하지 않는다면(但莫憎愛) 막힘없이 탁 트여(洞然) 뚜렷하고 환할 것이다(明白).'

참 어설프게 되고 말지만, 이해를 돕기 위해 위 문단을 다시 정리해 보자. 승찬대사께서 깨우쳐 주시려는 핵심은 분명하다. 도에 이르는 것(도를 깨닫는 것)은 아무 어려울 것이 없는데, 문제는 제각기 자기가 익힌 입맛

대로 가려서 좋은 것은 택하고 싫은 것은 버리려는 상대적 분별에 걸려서 깨닫지 못할 뿐이다. 만약 분별을 버려서 분별로 인해 일어난 미움과 사랑 등의 괴로움이 사라져버리면, 더 이상 도에 이르는 것을 가로막는 것 없이 탁 트여 바로 도를 깨닫게 된다는 것이다.

조주스님은 이제 승찬대사께서 가리킨 것을 되짚어 보자고 나섰다. '그것'에 대해서는 이러쿵저러쿵 설명으로 될 자리가 아니다. 만약 설명과 이해로 접근하면 '간택'이거나 '명백'이 되고 만다는 것이다. 그래서 힘주어 말씀하셨다. "난 그 뚜렷하고 환하다는 것(明白)도 전혀 마음 쓰지 않는다. 내가 말한 것을 소중하게 생각하겠는가?"

본칙(本則)

그때에 어떤 스님이 여쭈었다. "이미 명백한 경지에도 있지 않다면 무엇을 소중하게 여기라는 것입니까?"

강설(講說)

그렇지! 어디건 조연 역할이 중요하지. 공부하는 사

람이라면 비록 미치지는 못할지라도 큰스님 앞이라고 기죽을 건 없지. 호기롭게 일어나 조주스님의 흠집이라고 생각되는 곳을 파고들어가 본다. 본디 말이란 흠집투성이 아닌가.

"아니, 스님께서는 방금 '깨달음이라는 것도 나는 전혀 신경 쓰지 않는다.'고 하시고선, 저희들에게는 대체 무엇을 소중하게 생각하겠느냐고 물으시는 겁니까?"

본칙(本則)

조주스님께서 말씀하셨다. "나 또한 모른다네."

강설(講說)

아아! 상대는 천하의 조주스님이셨다. 또 한 무리의 대중이 산채로 구덩이에 묻히고 있다. 당신이 일으킨 폭풍에 휩쓸린 대중을 제자리에 돌려놓으려 애쓰시는 조주노장님의 저 혼신의 노력을 보라!

본칙(本則)

그 스님이 여쭈었다. "스님께서는 처음부터 알지도

못하셨으면서 무엇 때문에 도리어 명백한 경지에도 있지 않다고 하신 겁니까?”

강설(講說)

용기는 있었으나 이 친구 제 한 몸 지탱할 줄도 모르고 있다. 구덩이에 떨어지면서도 깨닫지를 못하는구나. 말에 끌려가는 처지에 어찌 ‘뚜렷하고 환하다는 것(明白)도 전혀 마음 쓰지 않는다’고 한 조주스님의 그 경지를 짐작이나 하랴!

본칙(本則)

조주스님께서 이르셨다. “묻는 것은 그만하면 되었다. 절이나 하고 물러나라.”

강설(講說)

조주노장님의 자비로움이야 익히 아는 터. 또다시 살 길을 터 주신다. “계속 깊은 수렁으로 들어가지 말고 얼른 벗어나도록 해라!” 이 말씀을 하시지 않았다면 그 혼란을 어찌했을꼬?

송(頌)

至道無難이여 言端語端이로다
지 도 무 난　　언 단 어 단

一有多種하고 二無兩般이로다
일 유 다 종　　이 무 양 반

天際日上月下하고 檻前山深水寒이로다
천 제 일 상 월 하　　함 전 산 심 수 한

髑髏識盡喜何立고 枯木龍吟銷未乾이로다
촉 루 식 진 희 하 립　고 목 용 음 소 미 건

難難이라 揀擇明白君自看하라
난 난　　간 택 명 백 군 자 간

도에 이르는 것은 어려울 것이 없다.

하는 말마다 모두 바르도다.

하나에는 여러 가지 있으나

둘에는 두 가지가 없도다.

하늘엔 해가 뜨고 달이 지며,

난간 앞엔 산이 깊고 물이 차도다.

해골에 의식 다하니 기쁨이 어디 서랴.

고목에 용의 울음 다해 마르지는 않았구나.

어렵고도 어렵도다.

간택과 명백을 그대 스스로 보라.

송(頌)

도에 이르는 것은 어려울 것이 없다. 하는 말마다 모두 바르도다.

강설(講說)

도에 이르는 것은 어려울 것 없다는 말씀이여! 어찌 언어에 허물이 있겠는가? 허물을 일으키는 놈은 따로 있으니, 오직 그놈을 때려잡을지어다.

송(頌)

하나에는 여러 가지 있으나 둘에는 두 가지가 없도다.

강설(講說)

깨달아 자유로운 사람이야 그 어딘들 못 가겠는가. 허나 두 말뚝에 발목이 묶인 놈은 어디에도 갈 수가 없으니 참으로 딱한 노릇이다.

송(頌)

하늘엔 해가 뜨고 달이 지며, 난간 앞엔 산이 깊고 물이 차도다.

강설(講說)

도를 어디서 따로 찾으려 하는가? 하늘에는 해가 뜨고 달이 지며, 문을 열어젖히면 바로 난간 앞엔 숲은 깊고 물은 차갑지 않은가. 아하, 그러나 눈 희번덕이며 찾지 말라. 찾으려는 마음 움찍만 해도 이미 그르칠 것이니.

송(頌)

해골에 의식 다하니 기쁨이 어디 서랴. 고목에 용의 울음 다해 마르지는 않았구나.

강설(講說)

분별 일으키는 것이 사라졌는데, 어찌 기쁘니 슬프니 하는 것이 있겠는가. 질문하던 스님이 조주스님의 경지를 짐작도 못 하고 있다. 그렇다고 조주스님을 말라

비틀어진 고목이라고 말하진 말 것. 용의 울음으로 길 잃은 놈 살 길을 열어주지 않는가.

송(頌)

어렵고도 어렵도다. 간택과 명백을 그대 스스로 보라.

강설(講說)

도를 대체 뭐라고 표현하겠는가? 승찬대사는 도에 이르는 것이 어려울 것 없다고 드러내 주셨다. 그러나 '거기'에는 어떤 것도 덧붙일 수 없으니, 눈 어둔 이에게는 어찌 어렵지 않겠는가. 간택이니 명백이니 하며 승찬대사를 뒤쫓지도 말고, 조주스님 방문 앞도 지키지 말라. 오직 그대가 스스로 볼 일이다.

제3칙

마조 일면불
(馬祖日面佛)

마조스님의
'일면불(해 같은 부처님)'

"다 지어놓은 농사
멧돼지에게 파헤칠 기회 줄 것인가"

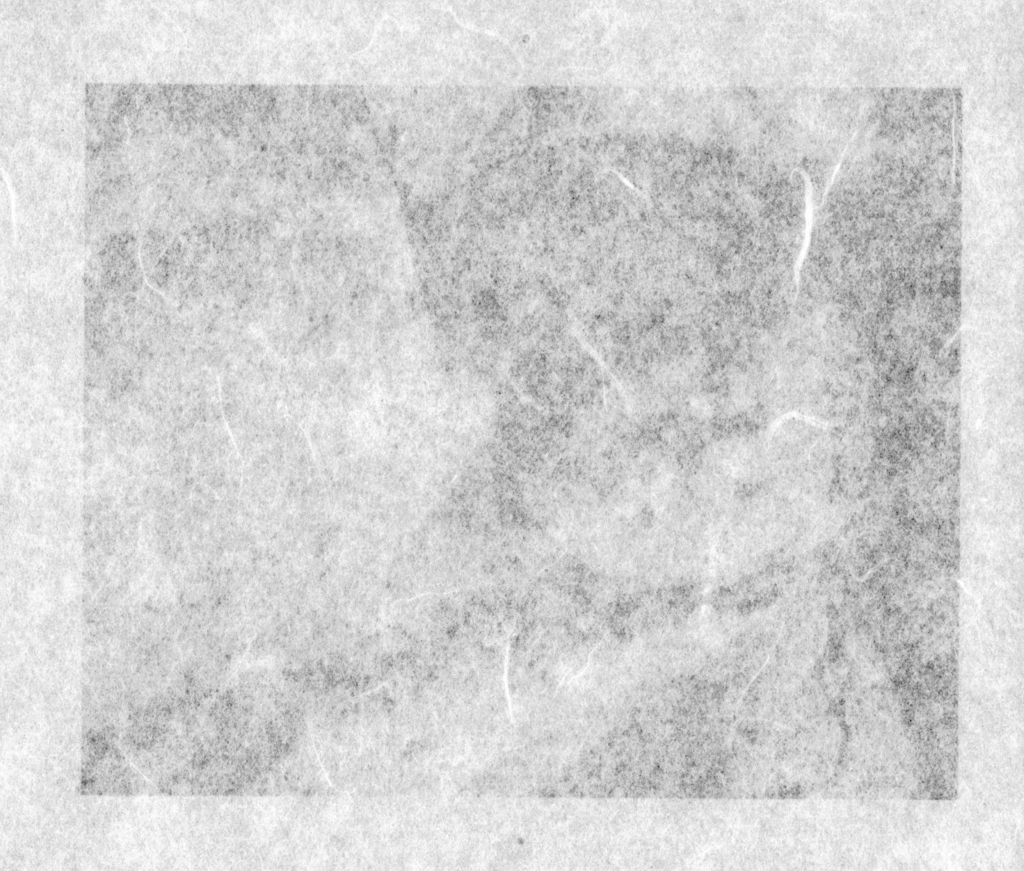

아잔타 석굴사원의 열반상 일부.
삶과 죽음의 그림자를 찾을 수 있는가.

본칙(本則)

擧 馬大師不安이어늘 院主問호대 和尙近
거 마대사불안 원주문 화상근

日에 尊候如何닛고 大師云 日面佛月面
일 존후여하 대사운 일면불월면

佛이니라
불

이런 얘기가 있다.

마조대사께서 몸 상태가 불안하자 원주가 여쭈었다.

"큰스님께서는 요사이 건강 상태가 어떠하십니까?"

대사께서 이르셨다.

"일면불 월면불이지!"

- **마대사(馬大師)**

  존경의 뜻으로 마조선사(馬祖禪師) 성씨만을 언급하고는 '대사(大師)'를 붙였음.

- **불안(不安)**

  마음이 편치 않을 때와 몸이 편치 않을 때의 두 경우에 다 쓸 수 있다. 여기에서는 '몸이 불편하다'는 뜻임.

- **원주(院主)**

  현재 큰절의 소임으로는 살림을 맡아 처리하는 직책이지만, 선어록에 등장하는 원주는 현재의 주지(住持)에 해당되는 경우가 대부분이며, 감원(監院) 또는 감사(監事)라고도 한다.

- **화상(和尙)**

  어른 스님에 대한 존칭임.

- **존후(尊候)**

  어른의 건강상태를 여쭐 때 쓰는 말. 주로 편지에 많이 사용함.

- **일면불월면불(日面佛月面佛)**

  〈삼천불명경(三千佛名經)〉에 나오는 부처님의 명호임. 일면불은 1800세를 사시고, 월면불은 하루 밤낮 동안만 사심. 가장 수명이 긴 부처님과 가장 수명이 짧은 부처님을 대비시킴.

강설(講說)

〈오등엄통(五燈嚴統)〉제3에 본칙과 연관된 기록이 있다.

강서(江西)의 도일선사(道一禪師)는 제자가 139인이며, 모두가 한곳의 지도자가 되어 교화를 펼쳤다. 흥원(興元) 4년(787) 정월에 강서(江西)의 건창(建昌) 석문산(石門山)에 올라 숲속을 산책하였다. 산책을 하던 중에 평탄한 골짜기를 보더니 따르던 시자에게 말씀하셨다.

"나의 시신이 다음 달에 이곳으로 오게 되리라."

그리고는 절로 돌아오셨다. 이윽고 병색을 보이시어 원주가 병문안을 드리며 어떠하시냐고 여쭈니, "일면불 월면불!"이라 답하셨다. 2월 1일 목욕하시고 가부좌를 하시더니 입적하셨다.

보통 알려져 있는 생존연대와 비교하면 위의 기록은 1년 앞선다. 그러나 그것은 본칙에 아무 영향이 없으니 참고로만 하면 되겠다.

본칙(本則)

이런 얘기가 있다. 마조대사께서 몸 상태가 불안하자 원주가 여쭈었다.

"큰스님께서는 요사이 건강 상태가 어떠하십니까?"

강설(講說)

어른께서 병색이라도 보이면 아랫사람으로서는 걱정이 많게 마련이다. 더더군다나 절의 책임을 지고 있는 원주스님으로서는 여러 가지로 생각할 것이 많았을 터. 80세란 연세는 요즘에야 예사롭지만, 1200년 전의 상황에서는 아주 드문 연세였을 것이다. 게다가 이미 산에 올라 입적을 예언하신 후가 아닌가. 원주스님은 근심 가득한 얼굴로 조심스럽게 여쭈었겠지. "저, 큰스님 많이 편찮으십니까? 어떻게 좀 견디실 만하신지요?"

본칙(本則)

대사께서 이르셨다.

"일면불 월면불이지!"

강설(講說)

대사께서는 지긋이 원주의 걱정스런 표정을 살펴보셨을 것이다. 그쯤 되면 아마도 "괜찮다네! 너무 걱정하지 마시게나" 정도의 말씀을 기대했을지도 모른다. 그러나 이 두 번 다시 오지 않을 기회를 마조스님께서는 놓치지 않으셨다. "허어, 일면불 월면불이야!" 원주는 순간 무엇을 보았을까?

이 문제는 마조대사와 '일면불과 월면불'이 함께하는 그곳을 봐야만 한다.

문득 떠오르는 장면 하나가 있다. 80세에 이르신 부처님께서 사라쌍수 아래에서 열반을 준비하실 때, 뒤늦게 달려온 120세의 '수바드라' 바라문이 부처님 뵙기를 청했다. 아난존자가 난색을 표했지만 부처님께서는 불러들여 팔정도를 설하시어 깨달음에 이르게 하셨다. 수바드라는 부처님의 마지막 제자가 되었다. 지극히 인도적인 장면과 너무나 중국선적(中國禪的)인 광경이 전혀 어색하지 않은 그림으로 어울린다.

부처님의 생애를 보면 부처님께서 연세가 많아지시면서 당면하게 되는 신체적 어려움을 탓하시기는커녕,

바로 그 문제를 들어 제자들에게 수행의 지침으로 삼을 수 있도록 가르쳐 주셨다. 이 문제는 선사들의 경우도 마찬가지였는데, 마조스님께서도 수명의 한계점에 도달했을 때 바로 그 점을 가지고 제자를 이끌어 주셨다.

송(頌)

日面佛月面佛이여 五帝三皇是何物고
일 면 불 월 면 불 오 제 삼 황 시 하 물

二十年來曾苦辛하니 爲君幾下蒼龍窟고
이 십 년 래 증 고 신 위 군 기 하 창 룡 굴

屈 堪述이라
굴 감 술

明眼納僧莫輕忽하라
명 안 납 승 막 경 홀

일면불 월면불이여!

삼황오제가 이 무슨 물건인가…

그 쓰디쓴 이십 년 세월이여!

그대 위해 몇 번이나 창룡굴에 갔던가.

아! 힘들었네. 어찌 다 표현하랴.

눈 밝은 수행자라도 소홀히 말게나.

- **오제삼황(五帝三皇)**

  중국의 전설 속의 황제들임. 중국에서 가장 존경하는 인물들을 인용한 것임.

- **시하물(是何物)**

  '이 무슨 물건이냐'의 뜻. 별 것 아니라는 의미.

- **이십년래증고신(二十年來曾苦辛)**

  이십년 동안이나 모진 고생을 했다는 뜻.

- **위군(爲君)**

  '마조대사의 일면불 월면불의 도리를 깨닫기 위해서'라는 뜻.

- **창룡굴(蒼龍窟)**

  용이 사는 굴. 목숨을 걸고 그 굴에 들어가 용의 수염 아래 있는 여의주를 가져오는 일을 깨달음에 견주어 말한 것.

- **굴(屈)**

  속어로 '아, 힘들었다' 의 뜻.

- **감술(堪述)**

  '어찌 다 표현하랴!'의 뜻.

- **명안납승막경홀(明眼納僧莫輕忽)**

  '눈 밝은 수행자라도 소홀하게 말라'는 뜻.

송(頌)

일면불 월면불이여!

강설(講說)

역시 설두스님이시다. 이 노인네는 남의 속을 다 들여다본다. 그러고도 누가 물으면 몰라라 하기 일쑤다. 늦어도 이 대목에서 무릎을 탁 치는 사람이라야 한다.

송(頌)

삼황오제가 이 무슨 물건인가…

강설(講說)

마조스님께서 일면불 월면불과 함께하는 그 경지에서야 무슨 삼황오제 따위를 말할까 보냐. 누군가가 그랬던가. 이왕이면 벼슬아치 과거 보지 말고 부처 뽑는 과거를 보라고. 부처님의 가르침은 오직 모든 괴로움으로부터 벗어나는 해탈의 말씀이다. 수행자가 명예나 인기 따위의 허접한 것에 떨어지면 지옥문이 열린다. 칼날 끝에 묻은 꿀과 같은 것이니까.

송(頌)

그 쓰디쓴 이십 년 세월이여!

강설(講說)

어디 만만하게 될 줄 알고? 어림 반 푼어치도 없다. 이십 년 아니라 사십 년도 어려울 걸!

깨달음이 경전 몇 권 본다고 되는 것인 줄 아는 이들이 참 많다. 경전이나 선어록의 구절을 외우면 그게 깨달음의 경지인 줄 착각하는 이들은 왜 또 그렇게들 많은지.

송(頌)

그대 위해 몇 번이나 창룡굴에 갔던가.

강설(講說)

마조스님 만나고 싶다고? 그대 목숨이 몇 개나 되는지 알고나 하는 소린가? 옛 사람이 말하지 않았던가! 최고의 경지라고 생각되는 그 자리에도 머물지 말고 크게 한 번은 죽어야만 한다고. 만약 죽을 각오로 덤볐는데도 깨닫지 못한다면, 그런 불교 따윈 버려도 좋을 것이다.

송(頌)

아! 힘들었네. 어찌 다 표현하랴.

강설(講說)

괜히 짐작하지 마시게나. 그게 짐작할 수 있는 곳이 아니란 말일세. 호랑이 잡는다면서 여우의 굴 앞을 서성이지 말게나. 이해한 것은 그림자에 불과한 것. 스스로 맛보지 않은 물맛이 단지 쓴지를 어찌 알 것이며, 뜨거운지 차가운지를 또 어찌 감별하겠는가. 남의 소리 가져다 아는 체 말게나.

송(頌)

눈 밝은 수행자라도 소홀히 말게나.

강설(講說)

그게 두 눈 가지고는 어림도 없고, 세 눈 갖춰도 안 될 말씀이지. 꿈에 흘깃 본 걸 뭘 그리도 자랑하누! 생각 가라앉힌 정도를 자랑한다거나 호수의 수면처럼 잠시 맑아졌다고 만족해버리면, 그건 마치 다 지어놓은 농사를 수확도 하기 전 멧돼지에게 파헤칠 기회를 주는 셈이지.

제4칙

덕산 협복
(德山挾複)

덕산스님이 바랑을 멘 채로

"거친 집 지어놓고
부처 꾸짖고 조사 욕하며 지낼게야"

뉘라서 이 폭풍을 멈추게 할까?

본칙(本則) 1

舉 德山이 到潙山하야 挾複子於法堂上
거 덕 산 도 위 산 협 복 자 어 법 당 상

하고 從東過西하며 從西過東타가 顧視云
종 동 과 서 종 서 과 동 고 시 운

無無하고 便出이러니 [雪竇着語云 勘破
무 무 변 출 설 두 착 어 운 감 파

了也라]
료 야

- **도위산(到潙山)**

  위산(潙山)에 이르렀다는 뜻이면서 동시에 위산선사가 계시는 곳에 이르렀다는 뜻임.

- **협복자(挾複子)**

  글자대로 풀면 '바랑을 몸에 지닌 채로'가 되니, '바랑을 멘 채로'의 뜻이 됨. 어른을 뵐 때나 법당을 참배할 때는 바랑을 벗고 가사를 착용한 뒤에 인사를 올리는 것이 예법임. 바랑을 벗지 않은 것은 정해진 예법 따위에 걸리지 않겠다는 뜻도 되고, 또 머물 생각이 없다는 뜻도 됨. 복자(複子)는 스님들의 바랑으로 복자(袱子)로도 씀.

- **고시(顧視)**

  '이리저리 둘러 봄'의 뜻. 『전등록』에서는 위산선사를 돌아보았다는 뜻으로 사용했음.

- **변출(便出)**

  '곧 나옴'의 뜻. 선어록에서는 '변출'로 읽는 것이 관행임. 便이 '문득'이라는 뜻으로 사용될 경우 자전에서는 '편'으로 읽지만 선어록에서는 '변'으로 읽음. '편출'로 읽어도 됨.

- **설두착어운(雪竇着語云)**

  본칙의 내용에 대해 설두스님이 촌평을 한 것. 기록이 남아 있었기에 원오스님이 본칙의 안에 넣은 것임.

- **감파료(勘破了)**

  '점검이 끝남'의 뜻. 이미 모든 것을 다 알았다는 뜻임.

덕산스님이 위산스님 계신 곳에 이르러 바랑을 멘 채로 법당에 올라, 동쪽에서 서쪽으로 갔다가 서쪽에서 동쪽으로 가더니 둘러보고는 "없다 없어"라 말하고는 곧바로 나가버렸다. 〈설두스님이 "점검이 끝났다"고 촌평하였다.〉

강설(講說)

덕산스님은 용담선사를 만나 깨달은 선사다. 이미 율장의 도덕성이나 경전의 체계적인 이론이라는 것도 절대의 세계에서는 부질없음을 처절하게 체험한 뒤인지라, 덕산스님은 그런 것들을 완전 무시하고 칼을 뽑아 들었다.

훗날 설두스님이 이 대목에 촌평을 붙이기를 "간파해 버렸다"고 하였다. 누가 누구를 간파했으며, 무엇을 간파했다는 말인가? 설두스님은 친절을 베풀었다지만 사람들은 더욱 혼란스럽기만 하다.

본칙(本則) 2

德山이 至門首하야 却云 也不得草草로
덕산 지문수 각운 야부득초초

다하고 便具威儀하야 再入相見할새 潙山이
변구위의 재입상견 위산

坐次에 德山提起坐具云 和尙하니 潙山
좌차 덕산제기좌구운 화상 위산

이 擬取拂子어늘 德山이 便喝하고 拂袖而
의취불자 덕산 변할 불수이

出이라 [雪竇着語云 勘破了也라] 德山
출 설두착어운 감파료야 덕산

이 背却法堂하고 着草鞋便行하니라
배각법당 착초혜변행

- **지문수(至門首)**

  '산문(山門)에 이르다'의 뜻. 수(首)는 '첫 번째'란 뜻으로 쓰였으니, 여기서는 일주문을 가리킨다고 볼 수 있음.

- **각운(却云)**

  '멈춰 서서 이르다' 의 뜻. 여기서는 지금까지는 거침없이 행동하다가 그것을 멈추었다는 뜻도 됨.

- **야부득초초(也不得草草)**

  '이렇게 대충 끝낼 일은 아니지'의 뜻. '초초(草草)'는 '너무 서둘러 거칠게 하는 것'을 뜻함.

- **변구위의(便具威儀)**

  '곧 정중한 모습을 갖추어'라는 뜻. '편구위의'로 읽어도 됨. '위의(威儀)'는 '예법에 맞는 몸가짐'을 뜻하며 특히 불교에서는 계율에 맞는 언행을 뜻함.

- **재입상견(再入相見)**

  '다시 들어가 정식으로 위산스님께 인사를 드림'의 뜻.

- **좌차(坐次)**

  '자리에 앉다'의 뜻. 여기서 '차(次)'는 '정해진 자기의 자리'를 가리킴.

- **제기좌구운(提起坐具云)**

  '좌구를 들고 말하기를'의 뜻. 좌구(坐具)는 스님들이 앉을 때 쓰는 '깔개'이다. 율장에 의하면 스님들의 필수품에 '좌구'가 들어 있음. 옛날 인도와 중국에서는 스님들이 자기의 좌구를 지참하고 다녔다고 함.

- **의취불자(擬取拂子)**

  '불자를 집어 들려 하다'의 뜻. 불자(拂子)는 먼지떨이와 비슷한 것으로, 스님들이 파리나 모기 등을 쫓을 때 사용하던 것임. 이것이 세월이 지나면서 점차 큰스님들의 상징처럼 되었음.

- **변할(便喝)**

  '갑자기 고함을 치다'의 뜻. 선가에서 절대적 경지를 드러내는 한 가지 방법. '편할'로 읽어도 됨. 자전의 발음은 '편갈'임. 선어록을 많이 보지 않은 이는 '편갈'로 읽고, 어느 정도 공부한 이는 '편할'로 읽으며, 어른들로부터 지도를 많이 받은 사람은 '변할'로 읽음.

- **불수이출(拂袖而出)**

  '소매를 떨치고 나가다'의 뜻. 소매를 떨치는 것은 자기의 결연한 뜻을 드러내는 것임.

- **배각법당(背却法堂)**

  '법당을 등지고'의 뜻. 즉 법당을 떠난다는 뜻임. 이 구절은 위산선사와 덕산선사가 만난 곳이 법당 안이었음을 뜻하는 것이며, 따라서 앞서 덕산스님이 법당에서 행동할 때 위산스님께서 지켜보고 있었다는 것이 됨.

- **착초혜(着草鞋)**

  '짚신을 신고'의 뜻. 이것은 법당에 신을 벗고 들어갔었다는 것을 뜻하므로, 요즘 대부분의 중국사찰 법당처럼 신을 신고 들어가는 것이 아니었던 것 같음.

- **변행(便行)**

  '곧바로 가다'의 뜻. '편행'으로 읽어도 됨.

덕산스님이 산문에 이르자 걸음을 멈추고는 "이렇게 대충 끝낼 일은 아니지" 하고는, 곧바로 예법에 맞게 몸가짐을 갖추어 다시 법당에 들어가 위산스님을 만났다. 위산선사께서 자리에 앉아 계셨는데 덕산스님이 좌구(坐具)를 들고는 "스님!" 하고 부르니 위산선사께서 불자(拂子)를 들려고 하였다. 덕산스님이 갑자기 고함을 지르고는 소매를 떨치고는 나가 버렸다. 〈설두스님이 "점검이 끝났다"고 촌평하였다.〉 덕산스님이 법당을 뒤로하고 짚신을 신고는 휑하니 가버렸다.

강설(講說)

뒤도 돌아보지 않고 산문까지 나온 덕산스님이 스스로도 명쾌하지 못하다고 느꼈다. 당연한 일 아닌가. 그러고도 그냥 가버렸다면 어디 그릇이라고 할 수 있나? 스스로 되짚어보고는 "이렇게 대충 끝낼 일은 아니지"라고 할 줄도 알았다. 그리고는 예법을 갖춰 다시 위산선사 앞에 섰다. 덕산스님이 절할 때 사용하는 좌구를 손에 들고는 "스님!" 하고 불렀다. 그러자 위산선사께서 바로 불자를 집어 들려고 했다. 그 순간 덕산스님이 꽥 고함을 지르고는, 모든 것이 끝났다는 듯 소매를 떨치고는 일어나 나가 버렸다. 참 번갯불 같다. 천하의 위산선사가 아니었다면 큰 낭패를 보았을 것이다. 하지만 상대는 위산선사이니, 덕산스님이 멈칫거릴 여유가 없었으리라.

훗날 설두스님이 이 대목에 또 촌평을 붙이기를 "간파해 버렸다"고 하였다. 이 노인네가 다시 사람들을 흔들어 놓는다. 하지만 이게 설두스님께서 친절을 베푸는 방법이니 어쩌랴. 자! 이번엔 누가 누구를 간파한

것일까? 의심 많은 사람들은 친절하게 대해줘도 혼란스러워 한다.

위산선사 앞에서 이럴 수 있었다니, 참 대단한 덕산스님이다. 그러나 조금 늦출 줄을 알았다면, 좀 다른 노랫가락이 있었지 않았겠는가.

본칙(本則) 3

潙山이 至晩에 問首座호대 適來新到在
위 산 지 만 문 수 좌 적 래 신 도 재

什麼處오 首座云 當時背却法堂하고 着
십 마 처 수 좌 운 당 시 배 각 법 당 착

草鞋出去也니다 潙山云 此子가 已後에
초 혜 출 거 야 위 산 운 차 자 이 후

向孤峰頂上하야 盤結草庵하고 呵佛罵祖
향 고 봉 정 상 반 결 초 암 가 불 매 조

去在하리라 [雪竇着語云 雪上加霜이로다]
거 재 설 두 착 어 운 설 상 가 상

- **지만(至晩)**

  '밤이 되다'의 뜻.

- **수좌(首座)**

  선원에서 방장스님 다음으로 책임을 맡은 스님. 요즘 선방에 있는 스님들을 모두 '수좌'라고 부르는데, 원칙적으로는 맞는 말이 아니다. 본래 수좌는 대단한 위치이며 총림에서 한 사람만 있다.

- **적래(適來)**

  '아까, 앞서'의 뜻.

- **신도(新到)**

  '새로 온 친구'의 뜻. 선원에서의 신참을 가리킴.

- **재십마처(在什麽處)**

  '어디에 있느냐?'의 뜻. 십마(什麽)는 '무엇, 어디' 등의 뜻으로 의문에서 사용됨.

- **차자(此子)**

  '이 사람, 이 친구'의 뜻.

- **향고봉정상(向孤峰頂上)**

  글자대로는 '외딴 봉우리의 꼭대기로 향하여'라는 뜻임. 상대적 견해를 인정하지 않는 절대적 경지를 흔히 '고봉정상'이라고 함.

- **반결초암(盤結草庵)**

  '풀집을 얽어 짓다'의 뜻.

- **가불매조거재(呵佛罵祖去在)**

  '부처를 꾸짖고 조사를 욕하며 살 것이다'의 뜻.

위산선사께서 밤이 되자 수좌(首座)에게 물었다. "아까 새로 온 친구 어느 곳에 있는가?" 수좌스님이 말씀드렸다. "그때 법당을 나와 짚신을 신고는 떠났습니다." 위산선사께서 말씀하셨다. "이 사람이 훗날 외로운 봉우리 꼭대기에 가서 초암을 짓고는, 부처를 꾸짖고 조사를 욕하며 지낼 걸세." 〈설두스님이 "눈 위에 서리를 더하는군!" 하고 촌평하였다.〉

강설(講說)

아무 일도 없었던 듯 순식간에 지나친 만남이었으나, 위산선사는 덕산스님의 모든 것을 다 보셨다. 그래서 밤이 되자 슬며시 그 문제를 다시 제시하셨다. 선사께서 선원의 책임자인 수좌스님에게 물었다.

"아까 왔던 그 친구 어디 있는가?"

"낮에 법당에서 나갔을 때 짚신 꿰차고 떠났습니다."

떠나버렸다고? 먼지가 나지 않을 때까지 짚신으로 맞아야 할 놈이다. 그러나 안타깝게도 위산선사는 이 수좌를 그냥 두었다. 그릇이 아니었던가? 그리고는 수좌가 떠나버렸다고 했던 덕산스님을 다시 앞에 세워 제자들에게 보여준다.

"이 친구는 어느 누구 앞에서도 낮출 친구가 아니지. 그래서 외롭고 외롭게 저 상상봉 꼭대기로 갈 걸세. 제가 좋아하는 거친 집을 지어놓고 지내면서 부처를 꾸짖고 조사를 욕하며 지낼게야."

그러니 덕산방(德山捧)이라는 가풍(家風)이 나올 수밖에. 그의 앞에서는 경전도 조사어록도 들이대지 말 것. 바로 몽둥이찜질을 당하게 될 터이니. 그런데 이 위산 노장님이 왜 주절주절 늘어놓고 있는 것인가?

훗날 설두스님이 이 대목에 또 촌평을 붙이기를 "눈 위에 서리를 더하였다"고 하였다. 알았다면 코가 비뚤어지게 자도 좋겠으나, 그렇지 않다면 눈 쌓인 밤중에 서리 내리길 지켜봐도 소용이 없을 것이다.

송(頌)

一勘破 二勘破여 雪上加霜曾嶮墮로다
일 감 파 이 감 파 설 상 가 상 증 험 타

飛騎將軍入虜庭하니 再得完全能幾箇오
비 기 장 군 입 로 정 재 득 완 전 능 기 개

急走過 不放過여 孤峰頂上草裏坐로다
급 주 과 불 방 과 고 봉 정 상 초 리 좌

咄
돌

- **일감파(一勘破)**
  설두스님 자신이 본칙에서 촌평을 가한 말.
- **이감파(二勘破)**
  설두스님 자신이 본칙에서 촌평을 가한 말.
- **설상가상(雪上加霜)**
  설두스님 자신이 본칙에서 촌평을 가한 말.

- **비기장군(飛騎將軍)**

『사기(史記)』'이장군열전(李將軍列傳)'의 이광(李廣)을 가리킴. 이광장군은 기원전 119년에 죽은 인물. 중국 전한시대의 장군으로 문제, 경제, 무제의 삼대 임금을 모셨음. 무예가 뛰어났고, 특히 활솜씨는 대단했던 모양. 흉노와의 싸움에서 공을 세워 장군이 되고, 무수한 전투를 하였으나 번번이 전공을 인정받지 못해 아주 높은 자리에는 이르지 못했음. 활솜씨에 관한 일화는 아주 유명함. 사냥을 나갔다가 호랑이를 쏘아 맞혔는데, 가까이 가서 보니 호랑이가 아니라 바위에 화살이 박혀 있었던 것. 그 후 몇 번이나 바위에 활을 쏘았으나 모두 실패했다고 함. 여기에서 인용한 내용은 포로로 잡혔을 때 의식을 잃은 체 있다가 적의 말과 활을 뺏어서 탈출한 일화임.

- **증험타(曾嶮墮)**

'위험했다'는 뜻.

- **급주과(急走過)**

'급히 달아나 버렸다'는 뜻.

- **불방과(不放過)**

'놓아 주지 않았다'는 뜻.

- **고봉정상초리좌(孤峰頂上草裏坐)**

본칙에서 위산선사가 평한 것을 인용하고 있음.

- **돌(咄)**

할(喝)과 같음. 꾸짖을 때나 모든 것을 쓸어버릴 때 흔히 쓰는 표현.

한 번 간파하고 두 번 간파한 일이여!

눈 위에 서리를 더함이라, 위험할 뻔했다.

비기장군이 포로로 적진에 떨어졌듯,

다시 완전하게 탈출하는 것이 몇 사람이나 가능하랴.

급히 달아나 버리고, 놓아 보내지 않음이여!

외로운 봉우리 꼭대기 풀 속에 앉았도다.

쯧쯧!

송(頌)

한 번 간파하고 두 번 간파한 일이여!

강설(講說)

덕산스님이 휩쓸고 위산선사 묵연함을 두고 설두스님은 '간파했다'고 말씀하셨지. 덕산스님이 "스님!" 부르니 위산선사께서 불자를 들려 하시매 다시 덕산스님 꽥 고함치고는 나가버리자, 또 설두스님은 '간파했다'고 말씀하셨네. 이 노장님이 그만하면 되었으련만 아직도 노파심으로 게송에까지 끌고 와 버렸다. 마치 코브라를 자유자재 다루는 이와 같으니, 과연 설두 영감님이시다. 자칫 흉내내다가는 코브라에 물려 죽는다.

송(頌)

눈 위에 서리를 더함이라, 위험할 뻔했다.

강설(講說)

시퍼런 칼날 앞에 엎드려도 보았고 누워도 보았다. 그러고도 목이 멀쩡하다니. 두 늙은이 칼 다루는 솜씨가 어지간하지 않은가.

송(頌)

비기장군이 포로로 적진에 떨어졌듯,

강설(講說)

흉노족이 철천지원수처럼 여기는 비기장군이리니, 적진 깊이 죽음의 문턱에 저승사자와 함께 있던 그 모습을 보았는가? 스스로 적진 깊이 들어가는 덕산스님의 저 용기는 그 누구도 따라하기 쉽지가 않고말고. 위태롭기 그지없다.

송(頌)

다시 완전하게 탈출하는 것이 몇 사람이나 가능하랴.

강설(講說)

그러나 뉘 알았으랴, 적의 말을 뺏어 타고 적의 활로 적을 물리치는 저 빛나는 솜씨여! 그렇기는 하지만, 설두스님이 비기장군을 끌고 온 것은 참 부질없는 일이었다. 덕산스님은 처음부터 포로가 될 정도로 멍청하지 않았으니.

송(頌)

급히 달아나 버리고, 놓아 보내지 않음이여!

강설(講說)

솜씨 좋은 덕산스님, 빈틈을 보이지 않고 위산선사의 그물을 벗어나는구나. 좋아하시네. 그렇게 만만하게 볼 늙은이가 절대 아니지. 위산선사의 모양 없는 그물은 그 끝을 알 수 없다네.

송(頌)

외로운 봉우리 꼭대기 풀 속에 앉았도다.

강설(講說)

참 설상가상이지. 암, 설상가상이고 말고. 위산 노인네가 어쩌자고 고봉정상 어쩌고저쩌고 한다는 말인가. 기어코 당신마저 풀 속으로 들어갈 것까지야.

송(頌)

咄咄!

강설(講說)

설두스님은 지금 누구를 보고 혀를 차는가? 덕산스님인가, 위산선사인가, 설두 자신인가, 검은 소리 흰 소리 하고 있는 송강인가? 아니면 누런 이빨 드러내고 웃는 놈인가?

제5칙

설봉 속미립
(雪峰粟米粒)

설봉스님의 벼 알갱이 같은 우주

"어느 한 송이 꽃도 누구에게 피겠다
약속한 일이 없다"

눈이 온 대지를 덮어도 길을 아는 사람은 서슴없이 간다.

본칙(本則)

擧 雪峰是衆云 盡大地撮來에 如粟米
거 설봉시중운 진대지촬래 여속미

粒大라 抛向面前하야도 漆桶은 不會로다
립대 포향면전 칠통 불회

打鼓普請看하라
타고보청간

이런 얘기가 있다. 설봉스님이 대중들에게 법문을 하시면서 말씀하셨다. 온 누리를 집으면 벼 알갱이 크기와 같다. 바로 앞에다 제시해 줘도 어리석은 사람은 알지 못한다. 북을 쳐서 모두 찾아보도록 하라.

- **진대지(盡大地)**

  ‘대지 모두’이니 ‘온 누리’를 뜻함.

- **촬래(撮來)**

  ‘(손가락으로) 집다’의 뜻. ‘래(來)’는 앞의 촬(撮)을 돕는 역할임.

- **속미립(粟米粒)**

  속미(粟米)는 벼. ‘속미립’은 ‘벼 알갱이’라는 뜻.

- **포향면전(抛向面前)**

  선어록에서 즐겨 쓰는 표현. 면전(面前)은 ‘얼굴 앞’이니 ‘바로 여기’라는 뜻이고, 포향(抛向)은 ‘~를 향해 던지다’의 뜻이니 ‘곧바로 제시했다’는 말임. 따라서 ‘지금 곧바로 제시했다’ ‘지금 여기 드러나 있어도’ 정도로 해석할 수 있음.

- **칠통(漆桶)**

  ‘옻을 담는 통’이라는 말에서 ‘시커먼 통’으로 뜻이 옮겨지고, 다시 ‘아무것도 모르는 어리석은 사람’으로 풀이됨.

- **타고(打鼓)**

  ‘북을 치다’의 뜻인데, 사찰에서 북을 칠 때는 어떤 경우이건 모도 모이라는 뜻임.

- **보청(普請)**

  널리 대중에게 함께 운력할 것을 청함. 여기에서는 ‘벼 알갱이 같은 것’을 찾는 행위를 뜻함.

강설(講說)

설봉스님은 참으로 깨닫기까지 고단한 수행을 했던 분이다. 그런 만큼 대중들이 깨닫기를 바라는 마음을 누구보다도 잘 아시는 분이다.

설봉스님은 늘 공양 짓는 일을 자청했다. 동산선사 밑에서도 역시 공양주를 맡았었다. 하루는 쌀을 이는데 동산선사가 와서 물었다.

"뭣 하는가?"

"쌀을 일고 있습니다."

"모래를 일고 쌀을 버리는가, 쌀을 일고 모래를 버리는가?"

"모래와 쌀을 모두 버립니다."

"그러면 대중들은 무엇을 먹는가?"

설봉은 갑자기 쌀을 일던 그릇을 엎어 버렸다.

그러자 동산선사는 설봉스님이 덕산선사와 좋은 인연이 될 것이라며 덕산선사에게 보냈다.

설봉스님은 사형인 암두(巖頭)스님과 여행 도중에 사형의 도움으로 깨닫게 되는데, 내용을 요약해 옮긴다.

설봉스님이 사형인 암두스님과 함께 풍주(灃州) 오산진(鼇山鎭)에 갔다가 눈에 갇히고 말았다. 그러자 사형인 암두스님은 계속 잠만 잤고, 설봉스님은 계속 좌선을 했다. 어느 날 설봉스님이 암두스님을 흔들어 깨웠다.

암두 "무슨 일이오?"

설봉 "너무 편하게 지내는 것 아닙니까? 어찌 잠만 자시오."

암두 "쯧쯧! 잠이나 자시오. 날마다 평상 위에 앉았으니, 칠촌(七村)의 토지신(土地神) 같구먼. 나중에 멀쩡한 사람들을 홀리기 십상이겠구려."

설봉 "나는 지금 매우 편치 못합니다. 스스로를 속이고 잠을 잘 수는 없습니다."

암두 "나는 그대가 드높은 봉우리에 도량을 일궈 큰 가르침을 펴리라 여겼더니, 아직도 그런 얘기나 하는 게요?"

설봉 "저는 정말로 마음이 편치 않다니까요?"

암두 "정말 그렇다면 어디 얘기해 보구려. 옳으면 인정해 줄 것이고, 그릇된 것이라면 내가 지적해 주리다."

설봉 "처음 염관(塩官)선사의 회상에서 법문을 듣는데, 색(色)과 공(空)의 이치를 말씀하시는 것을 접하고는 들어갈 곳을 깨달았습니다."

암두 "삼십 년 뒤에 행여 잘못 얘기하지 마시구려!"

설봉 "동산선사의 게송에 이르기를, 혹시라도 다른 곳에서 구하지 말지니, 멀고 또 멀어서 나와는 성글도다. 나 이제 홀로 자유로우니, 곳곳에서 그를 만나도다. 그는 이제 내가 아니요, 내가 바로 그로다. 이렇게 알기만 하면, 바야흐로 여여(如如)에 맞으리라. 라고 한 것이 마음에 와 닿았습니다."

암두 "그렇게 알아서는 자신도 제대로 구하지 못할 걸!"

설봉 "덕산선사께 묻기를 '옛날부터 전해오는 가르침의 핵심을 저도 배울 자격이 있습니까?' 하고 여쭈었더니, 선사께서 한 방 치시며 '뭐라는 게야!' 하는 말씀에 통 밑이 빠지는 것 같았습니다."

암두 "에잇! '문으로 좇아 들어오는 자는 집안의 보배가 아니다'는 말도 듣지 못했소?"

설봉 "이후로 어찌해야 옳습니까?"

설봉 "처음 염관(鹽官)선사의 회상에서 법문을 듣는데, 색(色)과 공(空)의 이치를 말씀하시는 것을 접하고는 들어갈 곳을 깨달았습니다."

암두 "앞으로 30년 동안 절대 거론하지 마시오."

설봉 "동산선사의 게송에 이르기를, '절대 다른 곳에서 구하지 말지니, 멀고도 멀어서 나와는 멀도다. 나 이제 홀로 자유로우니 곳곳에서 그를 만나노라. 그는 이제 내가 아니요, 내가 바로 그로다. 이렇게 알아야 하며, 바야흐로 여여(如如)에 맞으리라' 라고 한 것이 마음에 와 닿았습니다."

암두 "그렇게 알아서는 자신도 제대로 구하지 못할 걸!"

설봉 "덕산선사께 묻기를, '예로부터 전해오는 가르침의 계급을 저도 배울 자격이 있습니까?' 하고 여쭈었더니, 선사께서 한 방 치시며 '뭐라는 게야!' 하는 말씀에 통 밑이 빠지는 것 같았습니다."

암두 "예끼! '문으로 들어오는 것은 집안의 보배가 아니다'는 말도 듣지 못했소?"

설봉 "이후로 어찌해야 옳습니까?"

암두 "제대로 묻는구먼. 다음에 큰 가르침을 펴고자 한다면 낱낱이 자기의 가슴에서 우러나와야 '나'와 더불어 하늘과 땅을 덮을 것이오."

설봉 "아! 오늘 오산에서 비로소 도를 이뤘도다."

팔만대장경에서 제일 요긴한 것을 콕 집어낸다면 무슨 글자가 되겠는가?

아하! 머리에서 지금 막 끄집어낸 그건 아니올시다.

설봉스님은 자신이 깨달은 그 경지로 대중을 인도하고 싶었다. 그것이 첫 번째 허물이다.

그래서 말씀하셨다. "드넓은 누리라는 것이 별거 아니라네. 콕 집어내면 벼 알갱이 같단 말일세. 내가 이렇게까지 하는데도 캄캄한 채로 헤매고 있단 말인가? 북을 울려 어둠을 물리치고 그것을 찾아내란 말일세." 바로 이것이 두 번째 허물이다.

세 번째 허물은 송강의 몫이다.

이토록 거듭 허물을 자청하면서 자비를 베푸는 선지식이 없었다면, 어찌 '바로 여기'가 있겠는가.

송(頌)

牛頭沒馬頭回여 曹溪鏡裏絶塵埃로다
우 두 몰 마 두 회　조 계 경 리 절 진 애

打鼓看來君不見하니 百花春至爲誰開오
타 고 간 래 군 불 견　백 화 춘 지 위 수 개

- **우두몰마두회(牛頭沒馬頭回)**

'소머리 옥졸이 사라지고 말머리 나찰도 물러가니'의 뜻. 우두(牛頭)와 마두(馬頭)는 지옥의 옥졸임. 『수능엄경(首楞嚴經)』제 8권 '조도분(助道分)'에서는 각각의 업에 따른 과보를 설명하고 있는데, 지옥에 가게 되어 받는 과보도 설명하고 있다. 피부의 감촉을 너무 탐한 사람이 받는 촉보(觸報)를 설명하는 대목에 다음과 같은 내용이 있다.

「다섯째는 촉보가 나쁜 결과를 불러오는 것이다. 이러한 촉업(觸業)이 서로 어울리면 임종할 때에 큰 산의 사면이 좁혀지고 합해져서, 다시는 벗어날 길이 없음을 보게 되고, 망자의 영혼이 어마어마한 쇠로 된 성에서 불로 된 뱀 · 개 · 호랑이 · 이리 · 사자를 보게 되며, 우두옥졸(牛頭獄卒)과 마두나찰(馬頭羅刹)이 손에 창칼을 들고 성문(城門)으로 달려들어 무간지옥으로 향하게 되는데…」

- **조계경리절진애(曹溪鏡裏絕塵埃)**

  '조계의 거울 속에는 티끌 먼지 사라졌다'는 뜻. 이 구절은 육조대사의 게송에서 끌어온 것이다. 오조 홍인대사는 대중들에게 각자 깨달은 바를 게송으로 지어 내라고 했다. 당시 대중을 지도하던 신수스님이 먼저 게송을 지었는데 다음과 같았다.

  신시보리수(身是菩提樹) 심여명경대(心如明鏡臺) 시시근불식(時時勤拂拭) 불사야진애(不使惹塵埃)

  몸은 깨달음의 나무요, 마음은 밝은 거울의 틀과 같네. 때때로 떨고 닦아서, 티끌과 먼지가 끼지 않도록 하라.

  그 게송을 본 혜능스님이 게송을 지었으니 다음과 같다.

  보리본무수(菩提本無樹) 명경역비대(明鏡亦非臺) 본래무일물(本來無一物) 하처야진애(何處惹塵埃)

  깨달음에는 본래 나무가 없고, 밝은 거울도 또한 틀이 아니네. 본래 한 물건 없는데, 어느 곳에 티끌과 먼지가 끼리요.

  그러므로 설두스님은 "조계의 깨달음에는 일체의 번뇌 망상이 끊어졌다."고 밝혔다.

소머리 옥졸 사라지고 말머리 나찰도 물러가니,

조계의 거울에는 티끌 먼지 사라졌네.

북을 쳐 찾게 해도 그대 보지 못하나니,

온갖 꽃 봄 되매 누굴 위해 피는가.

송(頌)

소머리 옥졸 사라지고 말머리 나찰도 물러가니,

강설(講說)

지옥에 가야 만난다는 소머리 옥졸과 말머리 나찰을 왜 불쑥 끌어 왔을까? 살피고 또 살필지라. 자칫 잘못하면 그들의 창과 칼에 꿰여 무간지옥으로 내몰리게 된다. 이미 경험들 하셨나? 그렇다면 그들을 물리쳐야 하지 않겠는가! 만약 그들이 사라지고 물러가는 도리를 알았다면 편히 자도 될 것이다. 그러나 기억하시라. 무간지옥은 결코 잠잘 시간도 주지 않는다는 것을. 아~, 그것도 경험하셨다고?

송(頌)

조계의 거울에는 티끌 먼지 사라졌네.

강설(講說)

본래 모양도 없는 깨달음의 거울에 어찌 번뇌 망상의 티끌 먼지가 낄 수 있겠는가. 깨달음의 거울이 그렇다는 것이니 착각하지 말 것! 그런데 참 이상도 하지. 그 소식은 다 들었다면서 어찌 곁가지만 무성한 잡목을 애써 키우시나? 게다가 갖가지로 치장한 뒤틀린 거울을 집안의 보배라고 챙기는 건 또 뭐요? 그 나무에는 지옥의 괴로움만 주렁주렁 달리고, 그 거울에는 온갖 상(相)만 켜켜이 서린다오.

송(頌)

북을 쳐 찾게 해도 그대 보지 못하나니,

강설(講說)

설봉스님이 그토록 애써 간절히 이끌어 주셨건만, 왜 또 엉뚱한 곳만 찾고 있누?

나는 누굴 괴롭히려 하지 않았는데, 상담 온 이들마다 날더러 괴롭지 않게 해 달라 하고, 내 누굴 죽인다고 한 일 없건만 왜 오는 사람마다 "스님, 좀 살려 주이소!"를 외치는고? 그 뜻이 아니라고? 그 뜻이 아니면 웬 헛소리를 하시오?

모름지기 괴로움이 일어난 그 자리를 봐야 하고, 죽

음이 두렵다고 생각한 그곳을 철저히 봐야 한다. 보물 찾기 한다면서 엉뚱한 쓰레기통만 뒤지다가 그만 두진 말 것!

송(頌)

온갖 꽃 봄 되매 누굴 위해 피는가.

강설(講說)

때가 되면 온 천지가 꽃으로 뒤덮인다. 저 설산에도 꽃이 피고 극지방에도 꽃은 핀다. 가난한 달동네 깨진 화분의 꽃도 곱게 피고, 왕궁의 화려한 정원에도 꽃은 핀다. 그 많은 꽃들 중에 어느 한 송이 꽃도 누구에게 피겠다고 약속한 일이 없다. 그렇다면 이 꽃들은 누굴 위해 피었을까?

설두스님도 지나쳤지만, 나는 꽃을 안고 아예 뚱통으로 들어가누나.

제6칙

운문 호일
(雲門好日)

운문스님의 날마다 좋은 날

"스스로
모든 걸림으로부터 벗어났을 때,
날마다 좋은 날"

날마다 좋은 날이라고 하니 이런 모양을 생각하셨나?
그럼 꽃 지고 난 뒤엔 어쩌려고.

본칙(本則)

擧 雲門이 垂語云 十五日以前은 不門
거 운문 수어운 십오일이전 불문

汝어니와 十五日以後를 道將一句來하라
여 십오일이후 도장일구래

自代云 日日이 是好日이로다
자대운 일일 시호일

이런 얘기가 있다.

운문스님께서 법문을 하셨다.

"십오일 이전에 대해서는 그대들에게 묻지 않겠다. 십오일 이후에 대해서 한마디 말해 보라."

(대중이 말이 없자) 자신이 (대중을) 대신해서 말씀하셨다.

"매일 매일이 좋은 날이다."

- **수어(垂語)**

대중에게 법문을 하시는 말씀. '수시(垂示)'라는 표현과 같음. '수어운'은 본칙의 기록자가 넣은 말.

- **십오일(十五日)**

말 그대로 '보름'을 뜻함. 절에서는 보름이 여러 의미로 중요한 날임. 우선 결제나 해제가 보름에 있고, 결제(안거) 중에도 그믐과 보름에는 포살(布薩-스님들이 모여 참회하는 의식)이 있음. 큰 스님들의 법문도 역시 보름에 많았음.

여기에서 '십오일'이 운문스님께서 법문하는 날이었다면 '오늘'이라는 뜻이 됨. 또 하나는 '십오일'이 보름달처럼 제 모습을 되찾은 경지를 가리킨다고도 볼 수 있음.

- **도장일구래(道將一句來)**

도장래(道將來)는 '말해 보라'의 뜻. 장(將)은 도(道)를 돕는 역할임. 목적어인 일구(一句)를 래(來)의 앞에 두어 사용했는데, 당시의 대화체 형식임. 일구(一句)는 '결정적인 한 마디' 정도의 뜻임.

- **자대운(自代云)**

본칙의 기록자가 넣은 말로, 대중들이 답을 하지 못하고 있으니 '스스로가 대신 말을 했다'는 뜻.

- **일일(日日)**

매일, 날마다.

- **호일(好日)**

근심 걱정이 없는 좋은 날. 자유롭고 편안한 나날.

강설(講說)

위 내용은 운문스님이 지도자가 되었을 때 대중들에게 법문하신 것이다. 십오일이라는 말로 미루어 볼 때 결제에 들어가는 날이나 해제하는 날일 수도 있다. 만약 법문하는 날이 십오일이었다면 오늘 이전과 오늘 이후로도 될 수 있는 말이다. 또한 십오일은 보름이니, 완전한 모습을 드러내는 보름달을 연상할 수도 있겠다. 이렇게 여러 가지로 설명하는 것은 '십오일'로 인해서 불필요한 궁리를 하지 말라는 뜻이다.

십오일은 '지금'이다.

운문스님은 묻고 있다. 과거에 대해선 아무런 관심도 없다. 그러니 물을 것도 없다. 그대들도 과거의 일을 생각하지 말라. 그러나 '지금'부터는 어쩌겠는가?

자, '지금'이 문제이다. 온갖 망상 가득한 것은 '지금'이 아니다. 운문선사가 그런 것을 알고 싶겠는가? 사실 운문선사는 대중들에게 알고 싶은 것이 없다. 이 법문은 지금 바로 깨어날 것을 주문하고 있는 것이다. "아직도 부질없는 꿈같은 생각인 전도몽상(顚倒夢想)

에 빠져 두려움에 떨고 있을 것인가? 눈을 번쩍 떠 보란 말일세. 이 멋들어진 세상을 제대로 보라니까!!"

다만 생각만으로 '나날이 좋은 날이야!'라고 자기최면을 건다고 편안하고 자유로워지는가? 천만의 말씀이다. 스스로 모든 걸림으로부터 벗어났을 때에만 가능한 경지이다.

송(頌)

去却一 拈得七이여
거 각 일 염 득 칠

上下四維無等匹이로다
상 하 사 유 무 등 필

徐行踏斷流水聲하고
서 행 답 단 류 수 성

縱觀寫出飛禽跡이로다
종 관 사 출 비 금 적

草茸茸 煙羃羃이여
초 용 용 연 멱 멱

空生巖畔花狼藉나
공 생 암 반 화 랑 자

彈指堪悲舜若多로다
탄 지 감 비 순 야 다

莫動着하라
막 동 착

動着하면 三十棒하리라
동 착 삼 십 방

- **거각일(去却一)**

  '하나를 버리다'의 뜻. '하나'는 절대를 가리킴.

- **염득칠(拈得七)**

  '일곱을 쥐다'의 뜻. '일곱'은 상대적이며 차별적인 경계를 가리킴. '일곱(七)'은 '하나(一)'의 상대가 되는 말로 쓴 것이니, 일곱이 무엇 무엇인지를 알려고 고민하진 말 것.

- **상하사유무등필(上下四維無等匹)**

  '온 천지에 견줄 것(사람)이 없다'는 뜻.

  사유(四維)는 사우(四隅)라고도 하며 '네 귀퉁이'라는 뜻. 흔히 사방(四方)과 더불어 쓰는 경우가 있는데, 이때는 사방의 중간 방위를 가리키고 여기에 상하(上下)를 더하면 시방(十方) 즉 '우주' 또는 '온 천지'라는 뜻이 됨. 등필(等匹)은 필적(匹敵) · 비견(比肩) · 비교(比較)의 뜻임.

- **서행답단류수성(徐行踏斷流水聲)**

  '천천히 가면서 흐르는 물소리 밟아 끊다'는 뜻. 이는 운문선사의 고고한 경지를 시적으로 표현한 것임.

- **종관사출비금적(縱觀寫出飛禽跡)**

  '무심히 보면서 나는 새 자취를 그려 낸다'는 뜻. 운문선사의 빼어난 솜씨를 시적으로 표현한 것임.

- **초용용(草茸茸)**

  '풀이 무성하다'는 뜻.

- **연멱멱(煙冪冪)**

'안개가 자욱하다'는 뜻.

- **공생암반화랑자(空生巖畔花狼藉)**

'수보리존자가 앉은 바위 가에 꽃이 어지러이 흩어져 있다'는 뜻.

원오선사는 '평창(評唱)'에서 수보리존자와 제석천의 얘기라고 설명하고 있다.

수보리존자가 바위에 앉아 선정에 들어 있는데, 하늘에서 꽃비가 내리며 수보리존자를 찬탄하였다.

"허공에서 꽃비를 내리며 찬탄하는 이는 누구인가?"

"저는 제석천왕입니다."

"그대는 어찌해서 찬탄하는가?"

"존자께서 반야바라밀을 훌륭하게 말씀하시는 것이 존경스럽기 때문입니다."

"나는 반야에 대해서 아직 한 마디도 말하지 않았는데, 어째서 찬탄하는가?"

"존자께서는 말씀하심이 없고 저는 들은 바 없으니, 이것이 진짜 반야입니다." 이에 또다시 땅을 진동하며 꽃비를 내렸다.

- **탄지감비순야다(彈指堪悲舜若多)**

  '손가락을 튕기며 저 수보리를 슬퍼하노라'의 뜻. 탄지(彈指)는 상대를 일깨우기 위해 손가락을 튕겨 소리를 내거나 이마를 튕기기도 하는 것. 순야다(舜若多)는 범어 슈운야따아(śūnyatā)를 소리대로 옮긴 것으로 '공성(空性)'으로 뜻 번역하였음. 한편 허공신의 이름이기도 한데, 허공신(虛空神)을 느닷없이 끌어 올 일도 없고, 제석천왕은 더더욱 아님. 결국 제석천왕에게 파악된 수보리존자 공(空)의 경계를 나무라는 것이 됨. 이해가 되지 않으면 게송의 첫 구절을 잘 살펴 볼 것.

- **막동착(막동착)**

  '움직이지 말라, 꼼짝하지 말라'의 뜻.

- **삼십방(三十棒)**

  '삼십 방망이'의 뜻이지만, 흔히 사정없이 두들기겠다는 뜻으로 사용된다. 즉 아주 잘못을 저질렀다는 뜻이다. 棒자는 자전에는 '봉'이지만 선어록에서는 '방'으로 읽음.

하나를 버리고 일곱을 잡음이여!
위아래 동서남북 견줄 자가 없노라.
천천히 가면서 흐르는 물소리를 밟아 끊고,
무심히 보며 나는 새 자취를 그려내도다.
풀 무성하고, 안개 자욱함이여!
수보리 앉은 바위 가에 꽃 어지러이 널렸으나,
손가락을 튕기며 수보리를 가엾이 여기노라.
꼼짝하지 말라! 움직이면 삼십 방망이니라.

송(頌)

하나를 버리고 일곱을 잡음이여!

강설(講說)

하나란 절대적인 것을 상징한 것이고, 일곱은 상대적인 것을 가리킨 것이다. 그러니 일곱이 무엇과 무엇인지를 조사하려고 애쓰지 말 것.

하나를 버렸다 하니 어찌 버리며, 일곱을 잡았다 하니 또한 어찌 잡으리오. 다만 고개를 살짝 돌려 본 것일 뿐이라. 괜스레 하나니 일곱이니 하며 찾아다니지 말게나.

송(頌)

위아래 동서남북 견줄 자가 없노라.

강설(講說)

말들은 잘도 하지. '날마다 좋은 날'이라고. 그랬던가? 정말로 좋은 때가 있기는 했던가? 추호라도 좋고 나쁨이 있었다면 그것부터 놓게.

'날마다 좋은 날!'이니, 제발 운문선사를 욕보이지 말고 그냥 두게나.

송(頌)

천천히 가면서 흐르는 물소리를 밟아 끊고,

강설(講說)

지금 이게 무슨 말이냐고 따지시나? 하긴 물소리 따라가기 얼마나 바쁠까. 괜스레 급하기만 하지.

산이 사라지고 물도 사라지며 사람마저 사라진 곳에,

산은 의연하고 물은 콸콸 흐르며 사람은 유유자적하도다.

송(頌)

무심히 보며 나는 새 자취를 그려내도다.

강설(講說)

설두 노인네가 끝내 사람을 골탕 먹인다고? 그건 다만 그대 생각일 뿐. 이미 비밀을 너무 많이 털어놓았는

걸. 그렇고말고.

그게 어디 남의 집 얘기던가. 새만 그릴까 보냐. 온갖 것 다 그려내지.

그러나 붓 한 자루도 필요 없다네.

송(頌)

풀 무성하고, 안개 자욱함이여!

강설(講說)

그러나 그대 적막에 빠져 있지는 말게나. 풀 무성하고 안개가 자욱한 이 소식을 알아야 남의 손가락질을 받지 않으리라.

송(頌)

수보리 앉은 바위 가에 꽃 어지러이 널렸으나,

강설(講說)

게송의 이 구절과 다음 구절은 아래의 얘기에서 비롯된 것이다.

수보리존자가 바위에 앉아 선정에 들어 있는데, 하늘에서 꽃비가 내리며 수보리존자를 찬탄하였다.

"허공에서 꽃비를 내리며 찬탄하는 이는 누구인가?"

"저는 제석천왕입니다."

"그대는 어찌해서 찬탄하는가?"

"존자께서 반야바라밀을 훌륭하게 말씀하시는 것이 존경스럽기 때문입니다."

"나는 반야에 대해서 아직 한 마디도 말하지 않았는데, 어째서 찬탄하는가?"

"존자께서는 말씀하심이 없고 저는 들은 바 없으니, 이것이 진짜 반야입니다."

이에 또다시 땅을 진동하며 꽃비를 내렸다.

수보리존자에게 누가 감히 허물을 찾을 수 있으랴. 아뿔싸! 그 생각이 망쳐놓고 있다네.

선정에 잠겼다던 수보리여! 어찌 제석천왕의 흐릿한 눈도 피하지 못했소? 흩어놓은 꽃처럼 어지러이 칭찬만 난무했구려.

송(頌)

손가락을 튕기며 수보리를 가엾이 여기노라.

강설(講說)

설두 노인네의 이 말씀에 또 속는 사람 속출하지.

어깨 으쓱하며 수보리존자를 내려다보진 말 것. 그렇다고 올려다볼 것도 없네.

수보리존자는 그래도 '하나'는 확실했었지. 비록 그 '하나' 때문에 꽃으로 망신을 당하지만….

그런데 그대는 어떠우?

송(頌)

꼼짝하지 말라! 움직이면 삼십 방망이니라.

강설(講說)

천지를 활보해도 나무라진 않겠지만, 그러나 꼼짝하지는 말라. 눈에 띄는 순간 몽둥이 비가 쏟아질 것이니. 괜스레 저승사자가 미소 지으며 따르게 하지 말게나.

제7칙

법안 혜초 (法眼慧超)

법안스님의 '혜초'

"'혜초가 부처다' 따위의 가짜 놀음을 하지는 말라"

당신의 진짜 빛은 어느 것인가!

법안 문익(法眼文益, 885~958)선사

'설봉 의존(雪峰義存)-현사 사비(玄沙師備)-나한 계침(羅漢桂琛)'의 맥을 이었으며, 중국 5가(家) 7종(宗)의 하나인 법안종(法眼宗)의 종조(宗祖)가 된다.

7세에 전위(全偉)선사에게 귀의하여 삭발하고, 월주(越州) 개원사(開元寺)에서 구족계를 받았다. 당시 율종(律宗)의 거장인 희각화상(希覺和尙) 문하에서 율장을 익히고 유학의 책(儒書)도 함께 공부하였다. 그러다가 불법의 심오함을 맛보게 되자 곧바로 장경 혜릉(長慶慧稜)선사를 찾아가 지도를 받았다. 그 후 도반들과 여행을 떠나게 되었는데, 장마로 강을 건널 수 없게 되어 가까이 있는 지장원(地藏院)에 들리게 되었다. 그곳에 주석하고 계시던 계침(桂琛)선사께 인사를 드리니, 선사가 물었다.

"상좌(上座)는 어디로 가시는가?"

"여기저기 행각(行脚)하고 있습니다."

"행각하는 뜻이 무엇인가?"

"모르겠습니다."

"모른다고 함이 가장 친절(親切)하구나."

이에 문익스님이 크게 깨닫고는 수년간 머물며 낱낱이 점검받고는 계침선사의 인가를 받았다. 선사는 참선수행과 교학연구가 둘이 아니라는 선교불이(禪敎不二)를 주장하였다. 74세 되던 해에 목욕재계하고 대중에게 알린 다음 결가부좌로 입적했다.

본칙(本則)

擧 僧이 問法眼호대 慧超咨和尚하노니 如
거 승 문법안 혜초자화상 여

何是佛이닛고 法眼云 汝是慧超니라
하시불 법안운 여시혜초

이런 얘기가 있다. 어떤 스님이 법안선사께 여쭈었다.

"혜초가 큰스님께 여쭙니다. 어떤 것이 부처입니까?"

법안선사께서 말씀하셨다.

"자네가 혜초로군."

- **승문법안(僧問法眼)**

  '어떤 스님이 법안선사께 여쭈었다'의 뜻인데, 뒤에 질문자가 스스로 자신을 '혜초'라고 밝혔으나 특별히 알려진 인물이 아니었기에 '어떤 스님(僧)'이라고 한 것이다.

강설(講說)

진리 그 자체는 어느 누구도 타인에게 전할 수가 없다. 스스로 깨닫는 방법밖에 없기 때문이다. 가령 진리에 대한 얘길 많이 접했다고 하더라도, 직접 깨닫지 못한 경우라면 완전히 다른 세계에서 헤매는 격이다. 그러므로 간접적인 습득으로 완전히 이해하고, 뛰어난 논리를 구사하여 다른 사람들을 꼼짝 못 하게 할 수 있는 솜씨를 발휘하는 사람이라도 훌륭한 사람이라고 할 수는 없다.

진리 그 자체는 너무나 크고 넓으며 밝기 때문에, 옛 사람이 이르기를 하늘이 덮지 못하고, 땅이 싣지 못하며, 허공이 품을 수 없고, 해와 달이 비출 수 없다고 한 것이다. 그러니 부처의 경지마저도 인정하지 않는 경지에서 홀로 존귀하다고 한다면 비로소 그런대로 봐줄 만은 하리라.

위에서 말한 것과는 달리, 작은 터럭 끝에서 전 우주를 꿰뚫듯 하나의 기연으로 완벽하게 깨달아 깨달음의 지혜가 천지에 가득하며, 모든 장벽이 다 허물어져서 일체에 자유자재하게 되면, 그런 사람은 무엇을 어떻게 하더라도 모두 진리에 딱 들어맞을 것이다.

혜초라는 스님은 선문답에서 가장 빈번하게 오가는 질문을 던졌다. "저는 혜초라고 합니다. 무엇을 부처라고 합니까?" 이 친구 다 아는 듯 말해두고는 모른다고 실토하는구먼. 그러나 씹지도 않고 통째로 삼키려 하는구나.

법안스님은 상대가 가진 답을 가리켜 보이는 솜씨를 지닌 분이다. 언제나 상대방이 빛을 돌이키게 하는 솜씨를 발휘하신다.

미리 말해 두는데, '혜초가 곧 부처다' 따위의 멍청한 소리를 해선 안 된다. 누구나 머리로 헤아리는 '부처'가 있을 것이다. 그러나 그건 가짜다. '혜초'라는 법명을 받은 후로 누가 혜초라고 하면 답을 했을 것이다. 그러나 그 혜초도 가짜다. 부처가 없다는 말도 아니고 혜초가 없다는 말도 아니지만, 그러나 "혜초가 부처다" 따위의 가짜 놀음을 하지는 말라. 그렇다고 그 밖에 다른 부처와 다른 혜초가 있다고 한다면, 이 사람은 눈이 잘못 봤다고 눈을 파버리는 사람과 같다. 천하의 영리하다는 이들이 모두 이렇게 구렁텅이에 스스로 들어가

버린다.

법안선사는 숨 돌릴 틈도 두지 않고 바로 시퍼런 칼을 휘둘러 버렸다. 생각을 굴리는 사이 그 칼에 목숨을 잃을 것이다. 만약 생각을 일으키지 않고 눈을 깜박이지 않는 사람이 있다면 법안스님의 손에서 칼을 뺏어 휘두를 수 있을 것이다. 그 칼이 본디 법안선사의 칼인가, 혜초의 칼인가?

송(頌)

江國春風吹不起하고 鷓鴣啼在深花裏로다
강 국 춘 풍 취 불 기 　 자 고 제 재 심 화 리

三級浪高魚化龍커늘 癡人猶戽夜塘水로다
삼 급 랑 고 어 화 룡 　 치 인 유 호 야 당 수

- **강국(江國)**

  법안선사가 머물렀던 청량원(淸涼院)이 있는 강남을 가리킴.

- **취불기(吹不起)**

  '불되 일지 않다'의 뜻이니, '느끼지 못할 만큼 부드럽게 불다'로 풀이됨.

- **자고(鷓鴣)**

  자고새. 메추라기와 비슷함.

- **삼급랑고어화룡(三級浪高魚化龍)**

  중국의 고사에서 인용한 것. 강과 바다의 물고기들이 황하(黃河)를 거슬러 용문산(龍門山)에 모였다가, 그중 출중한 물고기가 세 단계로 된(三級) 폭포를 차례로 타고 올라가 용이 된다는 전설. 흔히 중국에서는 이것을 과거시험에 급제하여 중앙정계에 진출하는 출세에 견주어 말함. 선가(禪家)에서는 깨닫기 전의 어려움을 견주어 인용하기도 함.

강남엔 봄바람 불되 일지 않고,

자고새는 꽃 속에 숨어 우는구나.

삼단 폭포를 오른 물고기는 용이 되었건만,

어리석은 사람은 여전히 야당의 물만 푸는구나.

• **야당(夜塘)**

강이나 바닷가에 물고기를 잡기위해 둑을 쌓아 만든 못. 물이 들면 고기가 들어왔다가, 물이 빠지면 고기가 갇히게 됨.

송(頌)

강남엔 봄바람 불되 일지 않고,

자고새는 꽃 속에 숨어 우는구나.

강설(講說)

법안선사는 솜씨가 뛰어나다. 봄바람 은근하게 불지만 둔한 놈은 그게 봄바람인지를 모른다. 그래서 봄바람이 불지 않는다고 할지도 모른다. 그러나 그런 바람이야말로 천하에 봄이 가득한 소식을 전하는 것이다. 거세게 부는 바람이 봄답게 하는 것이 아니다. 보라! 온 천지에 꽃이 가득하질 않는가! 게다가 봄이라는 것을 다시 알려주는 자고새까지 울고 있다. 그러나 꽃 깊이 몸을 숨겨 버렸구나. 아니면 눈 어둔 놈이라 보질 못하는가?

곧바로 달을 봐야지 손가락에 낀 보석반지에 넋을 잃지 말 것!

아하! 법안선사의 자비가 천지를 풍요롭게 하는구나.

송(頌)

삼단 폭포를 오른 물고기는 용이 되었건만,

어리석은 사람은 여전히 야당의 물만 푸는구나.

강설(講說)

물고기가 비록 삼단 폭포를 뛰어올라 이윽고 용이 된다지만, 그 모습을 절대로 아무에게나 보여주진 않는다. 물고기가 용이 되는 솜씨만큼이나 뛰어난 안목을 가졌다면 알까? 대개 이미 용이 되어 승천해 버린 줄도 모르고, 그저 고기 잡겠다고 만들어둔 방죽(夜塘)의 물만 부질없이 퍼내고 있는 것이다. 그래서 비늘이라도 건지면 용의 비늘이라고 할 것인가? 머릿속에 든 것 바로 버릴 것.

용을 낚아챌 정도의 솜씨가 있어야 비로소 법안선사의 사람 살리는 칼끝이 어디를 겨누고 있는지를 볼 것이다.

제8칙

취암 수미
(翠巖眉毛)

취암스님의 눈썹

"어째 스님의 눈썹을 보려 하나?
그러다가 큰코다친다!"

길은 어디에 있나. 지도가 없어도 그들은 알지.

본칙(本則)

擧 翠巖이 夏末에 示衆云 一夏以來에 爲
거 취암 하말 시중운 일하이래 위

兄弟說話하니 看翠巖眉毛在麽아
형제설화 간취암미모재마

保福云 作賊人心虛니라
보복운 작적인심허

長慶云 生也라
장경운 생야

雲門云 關
운문운 관

- **하말(夏末)**

  여름 석 달 안거의 끝인 해제일.

- **설화(說話)**

  '설법'과 같은 뜻.

- **미모재마(眉毛在麽)**

  '눈썹이 붙어 있는가?'의 뜻. 선가(禪家)에서는 절대적인 이치와 동떨어진 세간적인 얘기를 많이 하면 눈썹이 없어진다는 말이 있음. 그러므로 이 말의 본뜻은 '허튼소리나 한 것이 아닌가?'라고 묻고 있음.

이런 얘기가 있다. 취암스님이 여름안거 마지막 날에 대중들에게 법문하셨다.

"여름 안거를 시작한 이후로 그대들을 위해 법문을 했다. 보라! 이 취암의 눈썹이 아직 붙어 있는가?"

보복스님이 (전해 듣고는) 한마디 했다. "도둑질하는 사람의 마음은 거짓이지."

장경스님이 (전해 듣고는) 한마디 했다. "돋아난다."

운문스님이 (전해 듣고는) 한마디 했다. "관문이로다."

- **작적인심허(作賊人心虛)**

  도둑질하는 사람[作賊人]의 마음은 허위다

- **관(關)**

  관문(장벽) 또는 함정.

강설(講說)

여기 등장하는 취암(翠巖)스님은 설봉(雪峰)선사의 법제자이다. 설봉선사의 인정을 받고는 명주(明州)의 취암산(翠巖山)에서 후학을 지도하였기에 취암선사라고 했다. 이 얘기 배경은 취암산에서 대중을 이끌 때이며, 해제를 하면서 법문을 한 앞부분에 해당될 것이다. 취암, 보복, 장경, 운문스님은 사형제이다. 이미 각자 지도자의 위치에 있었기에 세 스님이 뒷날 취암스님의 법문을 전해 듣고 평을 한 것이라고 보면 되겠다.

본칙(本則)

이런 애기가 있다. 취암스님이 여름안거 마지막 날에 대중들에게 법문하셨다.

"여름 안거를 시작한 이후로 그대들을 위해 법문을 했다. 보라! 이 취암의 눈썹이 아직 붙어 있는가?"

강설(講說)

취암선사께서는 안거 기간에 대중들에게 참 많은 법문을 하셨을 것이다. 그리고 이제 석 달의 안거를 마치고 흩어지기 직전에 있다. 그러니 마지막으로 점검을

해야 하는 것이다. 그래서 자기 자신을 미끼로 썼다.

"내가 이런 저런 법문을 참 많이 했다. 그런데 깨달음의 경지에서 어긋나는 얘길 많이 하면 눈썹이 다 빠져버린다고 하지 않았는가. 자, 어떤가? 이런 저런 얘길 많이 한 이 취암의 눈썹이 붙어있는 것인가?"

어째 취암스님의 눈썹을 보려고 하시나? 취암스님을 그렇게 만만하게 보다간 큰코다칠 걸. 그대의 눈썹은 어떤가? 취암스님의 노고를 물거품으로 만들면 눈썹이 문제가 아니라 목이 달아날 걸. 헛된 망상에 빠지지 말 것!!

본칙(本則)

보복스님이 (전해 듣고는) 한마디 했다. "도둑질하는 사람의 마음은 거짓이지."

강설(講說)

보복스님은 참 친절하시다. 그대가 상대하는 이가 큰 도둑임을 알아야 한다고 가르쳐 주고 있는 것이다. 만약 그대가 지킬 능력을 갖추지 못했다면, 그대의 모든 것은 이미 취암스님에게 도둑맞았을 것이다. 그러니 말에 따라가지 말고 취암스님의 마음을 낚아채도록 하라.

본칙(本則)

장경스님이 (전해 듣고는) 한마디 했다. "돋아난다."

강설(講說)

장경스님은 참 어렵다. 눈썹이 빠지기는커녕 돋아난다고? 아, 장경스님은 참 모진 선지식이다. 취암스님의 그물을 겨우 벗어났다고 하더라도, 장경스님의 함정을 피하긴 어려울 듯싶다.

본칙(本則)

운문스님이 (전해 듣고는) 한마디 했다. "관문이로다."

강설(講說)

운문스님이야 본디 시원시원하시지. 그렇긴 하지만 자상하시진 않아. 하긴 너무 자상한 게 독이 되기도 하니까. 그러나 지금 그대가 어떤 관문에 갇혔는지를 아시는가? 벌써 빠져나왔다고? 글쎄다. 다시 한번 잘 살펴보시구려.

송(頌)

翠巖示徒여 千古無對로다
취 암 시 도　천 고 무 대

關字相酬는 失錢遭罪라
관 자 상 수　실 전 조 죄

潦倒保福은 仰揚難得이요
요 도 보 복　앙 양 난 득

嘮嘮翠巖은 分明是賊이라
노 로 취 암　분 명 시 적

白圭無玷커니 誰辨眞假리요
백 규 무 점　수 변 진 가

長慶相諳하고 眉毛生也라하더라
장 경 상 암　미 모 생 야

- **천고무대(千古無對)**

  '대(對)'의 풀이에 따라 두 가지로 번역이 가능함. '상대, 맞수'라고 풀면 '옛날에나 지금에나 맞수가 없다'가 되고, '대답'이라고 풀면 '옛날에나 지금에나 똑바로 대답한 자가 없다'가 됨.

- **실전조죄(失錢遭罪)**

  당나라에서는 금속으로 만든 화폐를 만들어 사용하였는데, 이미 아주 귀하게 여겨 분실한 자에게는 상응하는 벌을 내린 것이 아닌가 짐작된다. 요즘의 예로 들자면 노름으로 큰돈을 잃고 게다가 경찰에 검거되어 철창신세를 지게 것과 같다고 할 수 있다. 즉 엎친 데 덮친 격이다.

- **요도(潦倒)**

  중국어사전에는 '맥이 빠지다. 풀이 죽다. 기가 죽다. 낙심하다. 의기소침하다. 위축되다. 초라하게 되다. 의욕을 잃다. 마음먹은 대로 되지 않다.'로 풀이해 놓았음.

취암스님 대중에게 법문하신 것,

옛날과 지금에 상대할 자 없도다.

관문이라는 말로 응대한 것은,

돈을 잃고 죄를 지은 격이네.

완곡하게 표현한 보복스님의 말은,

칭찬인지 경책인지 알기 어렵구나.

이런 저런 법문을 하신 취암스님은,

의심할 것 없이 천하의 도적이니라.

희고 맑은 옥에는 한 점 티가 없나니,

뉘라서 진짜인지 가짜인지 가리리오.

장경스님이 취암스님 뜻을 척 알아보고는,

취암스님 눈썹이 오히려 돋는다고 하네.

송(頌)

취암스님 대중에게 법문하신 것,

옛날과 지금에 상대할 자 없도다.

강설(講說)

설두스님은 취암스님의 이 법문이 너무나 탁월하여 견줄 이가 없다고 평가한다. 대중의 모든 안목을 일시에 빼어 버리는 취암 노인의 솜씨는 정말 일품이다. 맞상대는 그만두고, 누가 그를 빗겨갈 수 있을까?

송(頌)

관문이라는 말로 응대한 것은,

돈을 잃고 죄를 지은 격이네.

강설(講說)

관문(장벽)이라고 표현한 운문스님의 평은 참 시원하다. 시원하긴 한데 잘 살펴야 한다. 설령 취암스님을 빗겨간다 해도 운문스님의 장벽에 갇힐 수 있다. 그래서 설두 영감님은 돈을 잃은 놈이 죄까지 뒤집어쓴 꼴이라고 표현한 것이다. 운문스님의 관문을 통과해야 자유의 몸이 된다.

송(頌)

완곡하게 표현한 보복스님의 말은,

칭찬인지 경책인지 알기 어렵구나.

이런 저런 법문을 하신 취암스님은,

의심할 것 없이 천하의 도적이니라.

강설(講說)

설두스님은 보복스님의 평에 속기 쉽다는 것을 은근히 밝혀 놓은 것이다. 보복스님은 참 친절하게 평을 하셨는데, 그 친절함이 시험무대일 줄이야. 설두 영감님 좀 미안하셨나? 어찌 자신의 입으로 취암스님이 도적이라고 발고해 버리시는고? 허나 정신 차려야 한다. 설두 영감님도 그렇게 친절하기만 한 분은 아니라네. 두 분 영감님의 훔치는 솜씨는 천하일품이니, 잘 살펴야만 한다.

송(頌)

희고 맑은 옥에는 한 점 티가 없나니,

뉘라서 진짜인지 가짜인지 가리리오.

강설(講說)

옥집에 가면 모든 게 진짜처럼 보인다. 탁월한 안목이 없다면 진열된 상품 중에 어느 것이 보석이고 어느 것이 평범한지를 알기 어렵다. 관광객의 솜씨 정도로는 대부분 속는다.

선사들의 모든 것 응축한 한마디는 안목을 갖춘 자도 정신 바짝 차려야 속지 않는다.

송(頌)

장경스님이 취암스님 뜻을 척 알아보고는,
취암스님 눈썹이 오히려 돋는다고 하네.

강설(講說)

장경스님은 취암스님의 의중을 누구보다도 잘 아셨다. 그래서 대뜸 눈썹이 빠지는 게 아니라 오히려 돋아난다고 평을 한 것이다. 이제 장경스님이 비정한 선지식이라는 것을 아셨는가? 원래 선지식의 안목에는 정(情) 따위는 없다네. 하지만 그 시험을 통과한 그대는 참 멋쟁이라고 할 수 있지.

제9칙

조주 사문
(趙州四門)

조주의 동문 서문 남문 북문

"누가 그 문을 닫아걸었을까?
잠근 놈이 열기 전에야…"

측백나무 사이로 백림선사의 법당을 향하는 길.
이 길로 들어가면 조주선사를 만날 수 있을까?

조주 종심(趙州從諗, 778~897)선사는 십대에 출가하여 다른 절에 있다가 남전 보원(南泉普願)선사를 찾았다. 남전선사는 비스듬히 누운 상태로 어린 사미를 맞았다.

"어디서 왔느냐?"

"서상원(瑞像院)에서 왔습니다."

"그럼 훌륭한 상(瑞像, 부처님)은 이미 보았겠구나."

"훌륭한 상은 모르겠으나 누워계신 부처님(누워계신 남전선사)은 뵈옵니다."

남전선사께서 벌떡 일어나 앉으시며 다시 물었다.

"네게 스승이 있느냐?"

"아직 일기가 찬데 스승님께서 법체 강녕하시옵니까?"

이렇게 남전스님의 제자가 되었고, 남전스님께서 입적하실 때까지 40년을 모셨다. 60세부터는 여러 곳을 다니시며 운수행각을 하시다가, 80세에 조주현 관음원(觀音院) 현재의 백림선사(柏林禪寺)에 주석하시면서 120세까지 후학을 지도하시었다.

조주선사와 관련이 있는 거의 모든 화두가 바로 이

조주현의 관음원에 머무실 때의 얘기들이다. 관음원은 옛날부터 측백나무가 가득한 도량이었기에 현재는 명칭을 '측백나무 빽빽한 선사' 즉 백림선사(柏林禪寺)라고 부르고 있다. 정전백수자(庭前柏樹子)라는 화두도 관음원 뜰에 보이는 측백나무를 가리키며 "뜰 앞의 측백나무니라"고 답하신 데서 비롯된 것이다. 백수자(柏樹子)라는 한자어에 '측백나무'와 '잣나무'의 두 가지 뜻이 있지만, 조주선사는 이곳에 있지도 않았던 잣나무를 가리킨 것이 아니다. 조주선사는 스승 남전선사와 나눈 서상원(瑞像院)에 관한 대화에서도 알 수 있듯이 막연한 말장난 따위는 하신 일이 없다.

강설(講說)

지혜가 확연해지면 모든 것이 있는 그대로의 모습을 드러내며, 깨달음에 이른 선지식이라면 어떤 난관이라도 타파할 수 있을 것이다. 지혜가 사라지면 곧 어리석음이요, 어리석음을 벗어나면 곧 지혜이다. 깨달으면 생사 가운데서 열반을 볼 것이고, 어리석으면 정토에서도 지옥의 고통을 맞으리라.

자, 위대한 선지식을 만났을 때 지혜가 없다면 어떻게 될까? 준비가 되어 있지 않다면 가령 부처님을 만났다고 해도 소용이 없게 될 것이다. 반대로, 누군가를 이끌어주려고 해도 바른 안목과 선교방편을 갖추지 않았다면 아무것도 할 수 없을 것이다. 자, 무엇이 생사를 해탈하는 안목이며, 깨달음에 이르는 수단이겠는가?

본칙(本則)

擧 僧이 問趙州호대 如何是趙州닛고 州云
거 승 문조주 여하시조주 주운

東門西門南門北門이니라
동문서문남문북문

이런 얘기가 있다

어떤 스님이 조주선사께 여쭈었다. "어떤 것이 조주입니까?"

조주선사께서 답하셨다. "동문, 서문, 남문, 북문이지."

강설(講說)

원오대사의 '평창'에는 이 다음의 대화로 "저는 그 조주를 묻지 않았습니다." "그대는 어떤 조주를 물었는가?"라는 것을 설명하고 있다. 두 번째의 문답은 사실 생략해도 그만이지만, 질문자가 어떤 허세를 부렸는지를 아는 데는 아주 적절하다.

조주선사는 상대의 마음을 송두리째 뺏어 버리는 솜씨를 지닌 분이다. "어떤 것이 조주입니까?"라는 질문은 얼핏 보면 시퍼런 칼을 정면으로 목에 들이댄 격이다. 이 질문만 가지고 보면 대단한 용기를 지닌 듯도 하다. 그러나 조주 영감님이 손가락 한번 튕기자 그 칼은 산산조각이 나고 말았다. 일초식도 감당하지 못하는 솜씨로 객기를 부린 스님의 허세가 조주선사의 한마디에 그대로 드러나고 말았다.

조주(趙州)라는 법호는 조주현의 관음원에 오래 머무셨기에 붙여진 존칭이다. 그러니 조주라는 지역과 조주라는 선지식을 둘 다 가리키는 말이 된다. 이 점은 상식적으로 아실 터. 그러니 조주스님의 답에서 말씀하신 동서남북의 문을 꼭 조주라는 지역의 성문으로만

생각지는 마시라.

질문한 스님은 굳어진 잣대를 가지고 있어서 자상한 답을 기대했을 수도 있다. 하지만 그런 생명력이 없는 자상한 설명 따위는 일찌감치 버린 지 오래인 노인네다. 그러니 어쭙잖은 상대에게 맞추고 있겠는가. 그래서 다른 방식의 자상한 답을 해 주셨다. "동쪽에도 문, 서쪽에도 문, 남쪽에도 문, 북쪽에도 문이지." 얼마나 멋진 답변인가! 이런 답을 듣는 순간 모든 것이 툭 터져 시원해야만 한다. 여기서 자유자재한 조주선사의 진면목을 봤어야만 한다.

그런데 "저는 그 조주를 묻지 않았습니다"라는 두 번째의 대화를 보면 질문자는 조주선사에게 자신의 칼을 뺏기고도 뺏긴 줄도 모르고 있다. 아니 처음부터 칼날이 없는 칼을 들고 설친 꼴이다. 그래서 "그대는 어떤 조주를 물었는가?"라고 조주선사는 얼이 빠진 후학을 일깨워 주고 있는 것이다. 조주선사는 참으로 친절하신 분이다. 후학의 수준 미달도 기꺼이 받아주시지만, 상대는 까마득히 모르고 있는 것을 어쩌랴. 천리마를 몰아 달려도 조주를 알기에는 너무 늦었다. 그러나 그

잣대만 버린다면 이미 조주에 있지 아니한가?

서울 한복판에서 서울을 묻지 말라. 스스로 모른다면 백년을 끌고 다니며 설명해도 여전히 무엇이 서울이냐고 물을 것이다.

나는 항상 처음 찾아온 이들에게서 이런 얘기를 듣는다.

"저는 스님을 잘 아는데, 스님은 저를 모를 겁니다."

그것 참! 알고 모른다는 게, 쯧쯧! 떠도는 정보 따위에 끌려다니다니.

송(頌)

句裏呈機劈面來나 爍迦羅眼絶纖埃로다
구 리 정 기 벽 면 래　　삭 가 라 안 절 섬 애

東西南北門相對하니 無限輪鎚擊不開로다
동 서 남 북 문 상 대　　무 한 륜 추 격 불 개

- **구리(句裏)**

  구절 속에. 본칙의 '무엇이 조주입니까?'하는 질문 안에.

- **정기(呈機)**

  기량을 다하여, 재능을 다하여.

- **벽면(劈面)**

  얼굴을 향하여, 정면으로, 맞바로.

- **삭가라안(爍迦羅眼)**

  금강의 눈. 흔들림 없는 눈. 깨달음의 눈. '삭가라'는 범어 'cakra'를 소리대로 옮긴 것.

- **절섬애(絶纖埃)**

  가는 티끌도 끊어짐. 아무런 먼지도 없음. 일체의 걸림이 없음.

- **윤추(輪鎚)**

  연속적으로 내리치는 쇠망치. 계속해서 내리치는 모습이 망치를 빙빙 돌리는 듯이 보이기도 한다.

질문한 구절 속에 모든 기량 기울여 곧바로 부딪치나

깨달음에 이른 안목은 어느 것에도 걸리지 않네.

동 · 서 · 남 · 북의 문이 서로 마주보고 있으니.

끝없이 계속되는 망치질로 시도해도 열리지 않네.

송(頌)

질문한 구절 속에 모든 기량 기울여 곧바로 부딪치나

강설(講說)

설두 노인네는 그래도 질문자에게 온정을 베풀고 있다. 그렇긴 하다. 천하의 조주스님을 마주하여 "어떤 것이 조주입니까?"하고 질문을 던진 스님은 얼마나 굳센 각오를 하고 나섰겠는가. 그는 자신을 모든 것을 기울여 정면으로 부딪쳐 간 것이다. 공부하는 사람의 태도는 모름지기 그와 같아야 하리라. 이 점은 참 칭찬할 만하다.

송(頌)

깨달음에 이른 안목은 어느 것에도 걸리지 않네.

강설(講說)

대부분의 사람들은 진리가 경전 속에 다 있다고 여긴다. 하지만 언어문자만큼 어설픈 것이 또 있던가. 언어란 여러 갈래로 벌어지는 애매성(曖昧性)과 정확하게 과녁을 적중시키지 못하는 모호성(模糊性)으로 가득하다. 그래서 굳어진 관념의 그릇이 되어버린 것을 사구(死句) 즉 '죽은 언어'라고 하는 것이다. 천하의 조주선사가 죽은 언어에 후학을 가둘 리가 있겠는가. 그래서 자비를 베풀어 활로를 열어 보인 것이다.

송(頌)

동 · 서 · 남 · 북의 문이 서로 마주보고 있으니.

강설(講說)

조주의 문을 도대체 누가 만들었단 말인가? 조주 영감님의 말씀을 잘못 들으면 곧바로 천 길 낭떠러지로 떨어질 것이다. 누가 그 문을 닫아걸었을까? 잠근 놈이 열기 전에야 어쩌겠는가.

그렇다고 네 대문의 문짝을 살피고 다니진 말라.

송(頌)

끝없이 계속되는 망치질로 시도해도 열리지 않네.

강설(講說)

공부를 하면서도 방향을 잘못 잡으면 수많은 노력이 허사가 된다. 예전에 〈금강경〉을 마치 진언이나 다라니처럼 한문으로 줄줄 외우는 이가 있었다. 그는 20년 동안을 하루 20회 이상 금강경을 암송했다고 자랑을 했다. 그래서 물었다.

"금강경에서 어떤 가르침을 배웠고 어떤 깨침을 얻었습니까?"

"그런 것은 모르겠고 외우는 동안 머리가 맑아서 좋습니다."

"외우지 않을 때는 어떻습니까? 항상 편안하십니까?"

"스님, 사람의 삶이라는 것이 슬플 때도 있고 화가 날 때도 있지요. 어떻게 늘 편안할 수 있습니까?"

본래 없는 문은 내려친다고 열리지 않는다. 그러나 어쩌랴. 철벽같은 문을 만들어 놓고, 그 문을 노려보는 놈이 있으니 말이다. 참 안타까운 일이다. 하긴 안타깝다는 것도 헛소리지.

제10칙

목주 할후
(睦州喝後)

목주스님의 고함을 지른 후

"보검은 본래 집안에 있는데,
싸구려 검 빌려 써서야…"

접근하기조차 어려운 만년설산, 그러나 오르는 이가 있다.

목주(睦州, 780~877)선사는 황벽 희운(黃檗希運)선사의 법을 이은 스님이다. 젊은 임제(臨濟)스님이 열심히 정진하는 것을 보고 큰 그릇임을 간파하고는 황벽스님을 세 번이나 찾아뵙게 하여 깨달음으로 인도하였으며, 찾아온 운문스님이 법을 묻기 위해 문 안으로 발을 들이밀자 세차게 문을 닫아 다리를 분질러 깨달음으로 인도하였다. 명예를 싫어하여 숨어 살기를 좋아하였으며, 짚신을 만들어 팔아 어머니를 봉양할 정도로 효심이 깊었다. 흔히 진존숙(陳尊宿)으로 많이 알려져 있는 선사이다.

본칙(本則)

舉 睦州問僧호대 近離甚處오 僧便喝하니
거 목주문승 근리심처 승변할

州云 老僧被汝一喝이로다 僧又喝하니 州
주운 노승피여일할 승우할 주

云 三喝四喝後作麽生고 僧無語하니 州
운 삼할사할후자마생 승무어 주

便打去호대 這掠虛頭漢이로다
변타거 저략허두한

- **근리심처(近離甚處)**

  최근에 어느 곳을 떠나 왔는가? 근래에 어느 곳에 있었는가?

- **변할(便喝)**

  갑자기 고함을 꽥 지름.

- **약허두한(掠虛頭漢)**

  당·송 시대의 속어로 '멍청한 놈' '얼간이 같은 놈' 정도의 뜻.

이런 얘기가 있다. 목주스님이 찾아온 스님에게 물었다.

"최근에 어느 곳을 떠나 왔는가?"

객승이 갑자기 고함을 꽥 질렀다.

목주스님이 "내가 자네에게 한 번 당했군" 하자, 객승이 다시 고함을 꽥 질렀다.

목주스님이 "세 번 고함치고 네 번 고함친 후에는 어쩔 셈인가?"하니, 객승이 말이 없었다.

목주스님이 곧바로 후려쳤다. "이 얼간이 같은 놈!"

강설(講說)

만일 깨달음 그 자체만을 위해 한없이 상승해가는 절대부정의 입장에서만 말하자면 제불보살이나 일체의 성현이 한 마디도 할 수 없고, 팔만대장경의 온갖 교설이 한 글자도 쓸모가 없게 될 것이다. 오로지 다 쓸어버리면 될 것이다. 그런 것은 어디까지나 말에 불과하고 글에 불과하기 때문이다. 성현들의 말씀이 세상에 전해진 지가 얼마인가. 그 말씀들을 외우고 이해하는 정도로 모두가 성현의 경지가 될 수 있었다면, 세상은 이미 성현들로 넘쳐날 것이다. 숟가락은 매번 제가 먼저 음식을 만나지만 그 맛을 모른다. 수행도 그러해서 귀는 모든 것을 먼저 듣되 그 맛을 모른다. 오로지 목숨을 던져 들어간 사람만이 깨달음의 맛을 아는 것이다. 석가세존도 세상 모든 학문 다 익혔지만, 결국에는 스스로 깨달을 수밖에 없었던 것이다.

반대로 상대적 입장인 절대긍정으로만 논하자면 이 세상의 그 모든 것이 다 존귀한 것이니, 어찌 곤충이나 미물이라고 무시할까 보냐. 모두가 제 모습을 확연히 드러내고 있는 것이다. 그러니 부처라는 표현도 중생이라는 표현도 필요 없는 것이다.

절대부정과 절대긍정의 두 가지 지도법은 이미 온갖 경론 등에서 다 보여준 것이며, 선지식들이 즐겨 사용했던 방법이다. 하지만 이 두 가지는 너무나 정형화되어서 어떤 경우에는 오히려 악용되기도 한다. 만약 이 두 가지의 측면이 아니라면 어떻게 해야만 할까? 이에 대한 적절한 예를 목주스님께서 보여주신다.

본칙(本則)

이런 얘기가 있다. 목주스님이 찾아온 스님에게 물었다.

"최근에 어느 곳을 떠나 왔는가?"

강설(講說)

흔히 선사들이 새로 찾아온 수행자에게 묻는 방식 중의 하나이다. 어느 어른 밑에서 지도를 받았는지를 묻는 것이기도 하고, 아울러 상대의 경계를 묻는 것이기도 하다.

자신이 어디에 서 있는지를 아는 이는 이미 할 일의 반은 마친 셈이다. 그러나 대부분 자신이 선 자리는 모르는 채 바깥만 보느라 정신없다.

라는 표현도 필요 없는 것이다.

절대부처와 절대중생의 두 가지 지도법은 이미 온갖 경전 등에서 다 보이는 것이며, 선지식들이 즐겨 사용했던 방법이다. 하지만 이 두 가지는 너무나 강렬하되 있어 어떤 경우에는 오히려 해가 되기도 한다. 만약 이 두 가지의 속박이 아니라면 어떻게 해야만 할까? 이에 대한 적절한 예를 부루스님께서 보여주신다.

본칙(本則)

어떤 얘기가 있다. 부루스님이 찾아온 스님에게 물었다.

"최근에 어느 곳을 떠나 왔는가?"

강설(講說)

흔히 선사들이 새로 찾아온 수행자에게 묻는 방식 중의 하나이다. 어느 어떤 절에서 지도를 받았는지를 묻는 것이기도 하고, 이후의 생각의 경계를 묻는 것이기도 하다.

자신이 어디에 서 있는지를 아는 이는 이미 그 일의 반은 마친 셈이다. 그러나 대부분 자신이 선 자리는 모르는 채 바깥만 보고자 급급했다.

본칙(本則)

거승이 갑자기 고함을 꽥 질렀다.

목주스님이 "내가 자네에게 한 번 당했군" 하자, 거승이 다시 고함을 꽥 질렀다.

강설(講說)

[illegible] 스님은 어디에서 공부했거나 [illegible]을 때의 본분사다. 따라서 '고향'이름 알아서 무엇하겠느냐라는 입장을 분명히 드러내었다. 절대적인 입장에서야 과거의 일 따위를 묻는 것은 우스운 일이 아니겠는가. 이 거승은 목주화상의 명성을 익히 알고 있었으리라. 그러면서도 이렇게 대처를 수 있었던 것은 참으로 굉장한 일이다. 목주스님은 "아이쿠, 내가 자네에게 한 방 당했네 그려" 슬쩍 비키듯 칭찬하는 듯 상대를 시험하였다. 거승은 다시 호기를 부렸다. 또 꽥 고함을 지른 것이다.

본칙(本則)

목주스님이 "세 번 고함치고 네 번 고함친 후에는 어

본칙(本則)

객승이 갑자기 고함을 꽥 질렀다.

목주스님이 "내가 자네에게 한 번 당했군" 하자, 객승이 다시 고함을 꽥 질렀다.

강설(講說)

찾아온 스님은 여러 곳에서 공부했거나 꽤나 선어록을 많이 본 듯하다. 따라서 '그따위를 알아서 무엇하겠는가!'라는 입장을 분명히 드러내었다. 절대적인 입장에서야 과거의 일 따위를 묻는 것은 우스운 일이 아니겠는가. 이 객승은 목주화상의 명성을 익히 알고 있었으리라. 그러면서도 이렇게 내지를 수 있었던 것은 참으로 칭찬할 만하다. 목주스님은 "아이쿠, 내가 자네에게 한 방 당했네 그려." 슬쩍 비키듯 칭찬하는 듯 상대를 시험하였다. 객승은 다시 호기를 부렸다. 또 꽥 고함을 지른 것이다.

본칙(本則)

목주스님이 "세 번 고함치고 네 번 고함친 후에는 어

쩔 셈인가?"하니, 객승이 말이 없었다.

목주스님이 곧바로 후려쳤다. "이 얼간이 같은 놈!"

강설(講說)

이제 목주스님은 완전히 간파해 버렸다. "그래. 꽥 꽥 고함을 지른 후에는 어쩔 셈인가?" 이건 객승이 전혀 예상치 못한 고단수였다. 그는 그냥 벙어리가 되고 말았던 것이다. 덕산선사의 할(喝, 고함)이 사람을 죽이기도 하고 살리기도 하는 자유자재한 보검이었음을 모른 채, 그저 흉내만 내어 고함(할)을 꽥 꽥 질러본 것이다.

자신이 보검을 쓴다고 생각했겠지만 목주스님의 보검과 부딪혀 보니, 자신이 쓴 것은 보검이 아니라 납으로 모양만 낸 엉터리 검이었던 것이다. 진정한 보검은 본래부터 자기 집안에 있었는데, 찾지를 못하고 싸구려 검을 빌려 쓴 것이다. 게다가 사용법도 모르고 냅다 휘두르기만 하였으니….

쯧쯧! 목주스님의 칼끝이 심장을 향하고 있음을 몰랐구나.

"바보 같은 놈!"

송(頌)

兩喝與三喝이여 作者知機變이로다
양 할 여 삼 할　　작 자 지 기 변

若謂騎虎頭인댄 二俱成瞎漢하리라
약 위 기 호 두　　이 구 성 할 한

誰瞎漢고 拈來天下與人間하라
수 할 한　　염 래 천 하 여 인 간

- **양할여삼할(兩喝與三喝)**

  객승이 두 번 고함을 지른 것과 목주스님이 그런 후에는 어쩔 셈이냐고 물은 것을 가리킴.

- **작자(作者)**

  흔히 '작가(作家)'라는 말로 많이 사용되는 선가(禪家)의 독특한 표현. '눈 밝은 수행자' '훌륭한 스승' 등의 뜻임.

- **기변(機變)**

  임기응변(臨機應變)의 준말. 곧바로 상황에 맞춰 대처하는 솜씨.

두 번의 할과 더불어 세 번의 할이여!
눈 밝은 이라야 대처하는 솜씨를 알리라.
만약 호랑이 머리를 걸터탔다고 이른다면
둘을 함께 눈먼 봉사로 만드는 것이리라.
누가 눈먼 봉사인가?
세상에 드러내 사람들에게 보여라.

- **약위기호두(若謂騎虎頭)**

  '만약 누군가가 (객승이) 호랑이 머리에 올라탔다고 한다면'의 뜻이니, 이는 '객승이 목주스님을 얕보고 겁 없이 위험한 일을 저질렀다고 평가한다면'의 의미임.

- **이구성할한(二俱成瞎漢)**

  '둘 다 눈먼 봉사를 만드는 것이다'의 뜻. 즉 객승과 목주스님을 제대로 보지 못하고 멍청이로 만들어버린다는 뜻.

- **염래(拈來)**

  집어내 보라. 드러내 보라.

송(頌)

두 번의 할과 더불어 세 번의 할이여!

강설(講說)

객승의 도전은 칭찬할 만하다. 멍청하게 앉아 있어서는 그 어떤 것도 해결되지 않는다. 하지만 진정한 고수는 똑같은 초식을 거듭해 쓰지 않는다. 투수가 같은 구질의 공을 계속 던지면 타자에게 당한다. 유도선수가 같은 방식으로만 상대를 제압하려 하면 역이용당한다. 그들이 비록 뛰어난 솜씨를 지녔다고 해도 지혜롭지 못하면 상대에게 제압당하는 것이다.

수행자의 능력(경지)은 많이 알고 있느냐가 아니라, 깨달음의 지혜가 있느냐 없느냐 하는 것이다. 매 순간 깨어있느냐가 관건이다. 아! '깨어있다'는 것을 '잘 인식하는 것'으로 알면 큰코다친다.

송(頌)

눈 밝은 이라야 대처하는 솜씨를 알리라.

강설(講說)

찾아온 객승이 꽥! 고함을 지르고 목주스님이 슬쩍 비켜서서 치켜세우듯 "내가 자네에게 한 방 맞았구나!" 하는 대처. 그리고 또 꽥 고함을 내지른 객승과 "계속 고함을 지른 뒤에는 어쩌려고?" 묻고는 냅다 후려치는 이 멋들어진 광경을 보라!

선지식은 무릇 이와 같아야 한다. 비록 법사라도 머릿속에 든 경전만 되풀이하고 있거나 유명한 대학교수라도 낡은 강의노트대로 계속 떠든다면 녹음기나 다를 바 없다.

상대에 따라 그가 처한 구덩이에서 빠져나올 수 있는 방법을 제시해야 한다. 그렇지 못하다면 선지식이 아니다. 하긴 선지식의 노력으로도 안 되는 놈이 많긴 하지.

송(頌)

만약 호랑이 머리를 걸터탔다고 이른다면
둘을 함께 눈먼 봉사로 만드는 것이리라.

강설(講說)

누군가가 객승이 괜스레 객기를 부렸다고 깔아뭉개 버린다면, 이는 객승이나 목주스님이나 모두 눈먼 봉사로 만들어 버리는 격이다. 과연 둘만 봉사가 되고 말았을까? 아마도 참으로 많은 이들이 이와 같이 평가했을 것이다.

송(頌)

누가 눈먼 봉사인가?
세상에 드러내 사람들에게 보여라.

강설(講說)

설두스님은 끝끝내 당신의 말을 아꼈다. 그리고는 다시 일깨우려 하였다. 과연 누가 눈먼 장님이 된 것일까? 뭐, 드러내 보일 것이나 있나. 이미 명명백백하게 드러난 것 아닌가? 아뿔싸! 설두 늙은이를 너무 쉽게 평하였구나.

송강 스님의 벽암록 맛보기 1권
(1칙~10칙)

역해 譯解 시우 송강 時雨松江

사진 시우 송강 時雨松江

펴낸곳 도서출판 도반

펴낸이 김광호

편집 김광호, 이상미, 최명숙

대표전화 031-465-1285

이메일 dobanbooks@naver.com

홈페이지 http://dobanbooks.co.kr

주소 경기도 김포시 고촌읍 신곡리 1168번지